# O PODER DO PENSAMENTO
## PELA IOGA

SWAMI SIVANANDA

# O PODER DO PENSAMENTO PELA IOGA

Tradução de
MADALENA NICOL

Editora
Pensamento
SÃO PAULO

Título original: *Thought-Power*.

Copyright © Swami Sivananda.

Copyright da edição brasileira © 1978 Editora Pensamento-Cultrix Ltda.

1ª edição 1978.
10ª reimpressão 2021.

Todos os direitos reservados por The Divine Life Society, Sivanandanagar, U.P. (Índia).

Direitos de tradução para a língua portuguesa adquiridos com exclusividade pela
EDITORA PENSAMENTO-CULTRIX LTDA.
Rua Dr. Mário Vicente, 368 – 04270-000 – São Paulo, SP
Fone: (11) 2066-9000 – Fax: (11) 2066-9008
E-mail: atendimento@editorapensamento.com.br
http://www.editorapensamento.com.br
que se reserva a propriedade literária desta tradução.
Foi feito o depósito legal.

# SUMÁRIO

Nota do Editor     9
Prefácio     11

### Capítulo Primeiro

## O PODER DO PENSAMENTO — SUA FÍSICA E SUA FILOSOFIA

1. A velocidade do pensamento supera a da luz     13
2. O meio pelo qual o pensamento se difunde     13
3. O éter do espaço registra os pensamentos     14
4. Os pensamentos são coisas vivas     14
5. Os pensamentos são forças mais sutis     15
6. Os pensamentos são mensagens radiofônicas     15
7. Os pensamentos são forças extraordinárias     15
8. Ondas de pensamento e transmissão de pensamento     15
9. As maravilhas das vibrações do pensamento     16
10. A diversidade das vibrações de pensamento     16
11. A conservação da energia do pensamento     17
12. A teoria da célula e os pensamentos     17
13. O pensamento primordial e a ciência moderna     18
14. O rádio e os Iogues raros     19
15. O pensamento — seu peso, tamanho e estrutura     19
16. O pensamento — sua forma, seu nome e cor     19
17. O pensamento — seu poder, funcionamento e usos     20
18. Vivemos num mundo de pensamentos ilimitados     20
19. Os pensamentos, a eletricidade e a filosofia     21
20. O mundo exterior existe previamente nos pensamentos     22
21. O mundo — uma projeção do pensamento     22
22. Os pensamentos, o mundo e a realidade infinita     23

Capítulo Segundo

## O PODER DO PENSAMENTO — SUAS LEIS E SUA DINÂMICA

| | | |
|---|---|---|
| 1. | O pensamento — o arquiteto do destino | 24 |
| 2. | Os pensamentos esculpem sua aparência | 25 |
| 3. | Os pensamentos retratam as expressões físicas | 26 |
| 4. | Seus olhos confessam seus pensamentos | 27 |
| 5. | Os pensamentos negativos envenenam a vida | 27 |
| 6. | Distúrbios psicossomáticos | 27 |
| 7. | Os poderes do pensamento criativo | 28 |
| 8. | Pensamentos semelhantes atraem-se mutuamente | 28 |
| 9. | A gripe espanhola e o contágio dos pensamentos | 29 |
| 10. | Fazer vigorar uma lei psicológica | 29 |
| 11. | Compreenda as leis do pensamento | 30 |
| 12. | As leis implícitas nos pensamentos mais altos | 32 |
| 13. | O pensamento — um bumerangue | 33 |
| 14. | Os pensamentos e as ondas do mar | 33 |
| 15. | A cor e a influência de pensamentos santos | 34 |
| 16. | A aura e a dinâmica de uma mente desenvolvida | 35 |
| 17. | A dinâmica dos pensamentos e o humor | 35 |
| 18. | A dinâmica do pensamento no ambiente universal | 36 |

Capítulo Terceiro

## O VALOR E OS USOS DO PODER DO PENSAMENTO

| | | |
|---|---|---|
| 1. | Sirva os outros por vibrações de pensamentos | 37 |
| 2. | Os médicos podem curar pela sugestão | 37 |
| 3. | Os Iogues pregam por transmissão de pensamento | 38 |
| 4. | Influencie outros pelo pensamento | 39 |
| 5. | As várias utilidades do poder do pensamento | 39 |
| 6. | O valor dos poderes do pensamento | 39 |
| 7. | Os pensamentos realizam várias missões | 40 |
| 8. | O poder dos pensamentos que influenciam | 40 |
| 9. | Pratique a transmissão de pensamento | 41 |
| 10. | A parapsicologia e os pensamentos subconscientes | 42 |
| 11. | O poder dos pensamentos vigorosos e divinos | 42 |

Capítulo Quarto
## AS FUNÇÕES DO PODER DO PENSAMENTO

1. Os pensamentos produzem boa saúde 44
2. Os pensamentos desenvolvem a personalidade 44
3. Os pensamentos afetam o corpo 45
4. O poder do pensamento muda o destino 45
5. Os pensamentos causam distúrbios fisiológicos 46
6. O poder do pensamento cria ambientes 46
7. Os pensamentos formam o corpo físico 49

Capítulo Quinto
## O DESENVOLVIMENTO DO PODER DO PENSAMENTO

1. A aquisição do poder do pensamento pela pureza moral 50
2. O poder do pensamento pela concentração 50
3. O poder do pensamento através da organização dos pensamentos 51
4. O poder do pensamento pela força de vontade 52
5. Receitas simples para pensar claramente 53
6. Sadhana para uma maneira profunda e original de pensar 53
7. A meditação para pensar com aplicação e continuidade 54
8. Adquira poder de pensamento criativo 54
9. Desenvolva o individualismo: resista a sugestões 55
10. Poderes supranormais pela disciplina do pensamento 55

Capítulo Sexto
## OS PENSAMENTOS — SUA VARIEDADE E SEU DOMÍNIO

1. Supere os pensamentos deprimentes 57
2. Vitória sobre os pensamentos importunos 58
3. Afaste os pensamentos irritantes 59
4. Domine os pensamentos fúteis 59
5. Domine os pensamentos impuros 60
6. Suprima os pensamentos negativos 61
7. Subjugue os pensamentos costumeiros 61
8. Triunfe sobre os pensamentos sem importância 62
9. Transforme os pensamentos instintivos 62
10. Diminua o número dos pensamentos costumeiros 63

| | | |
|---|---|---|
| 11. | Acumule pensamentos que inspirem | 63 |
| 12. | Reflita sobre os pensamentos esclarecedores | 64 |
| 13. | Pensamentos corretos para pensamentos errados | 64 |
| 14. | A escala dos pensamentos | 65 |
| 15. | Pensamentos mesquinhos e o desenvolvimento moral | 65 |

Capítulo Sétimo

## MÉTODO CONSTRUTIVO PARA O CONTROLE DO PENSAMENTO

| | | |
|---|---|---|
| 1. | Controle do pensamento pela prática da concentração | 67 |
| 2. | Controle do pensamento através de uma atitude positiva | 68 |
| 3. | Controle do pensamento pela não-cooperação | 69 |
| 4. | A arte de desbastar os pensamentos | 70 |
| 5. | Controle do pensamento pelo método de Napoleão | 71 |
| 6. | Suspenda a repetição dos maus pensamentos | 71 |
| 7. | Não faça concessões aos pensamentos errados | 72 |
| 8. | Corte o mau pensamento pela raiz | 72 |
| 9. | Exercício espiritual para eliminar os maus pensamentos | 72 |
| 10. | Os melhores remédios para os maus pensamentos | 74 |
| 11. | A disciplina diária dos pensamentos | 74 |
| 12. | Os pensamentos e a analogia da serpente | 75 |
| 13. | Conquiste o mundo pelo domínio dos pensamentos | 75 |
| 14. | Construa um canal divino para a força do pensamento | 76 |
| 15. | O papel da vigilância no controle dos pensamentos | 76 |
| 16. | Vigie e espiritualize seus pensamentos | 77 |

Capítulo Oitavo

## AS FORMAS DE CULTIVO DO PENSAMENTO

| | | |
|---|---|---|
| 1. | Discernimento e cultivo mental interior | 78 |
| 2. | Pensamentos maléficos e vigilância sobre si próprio | 78 |
| 3. | Desenvolvimento do Eu pelo cultivo do pensamento iogue | 80 |
| 4. | O cultivo do pensamento pelo método da substituição | 80 |
| 5. | Métodos espirituais para o cultivo do pensamento | 80 |
| 6. | A importância do cultivo dos pensamentos | 81 |
| 7. | A batalha dos pensamentos | 82 |
| 8. | O bom pensamento — a primeira perfeição | 82 |
| 9. | Cultive os pensamentos e torne-se um Buda | 82 |
| 10. | Evite pensar nos defeitos de outrem | 83 |

| | |
|---|---|
| 11. O último pensamento determina a próxima encarnação | 83 |
| 12. O pano de fundo do pensamento sátvico | 86 |
| 13. A consciência pura e a libertação dos pensamentos | 88 |

Capítulo Nono

## DOS PENSAMENTOS PARA A TRANSCENDÊNCIA DO PENSAMENTO

| | |
|---|---|
| 1. Pensamentos e vida | 90 |
| 2. Pensamentos e caráter | 90 |
| 3. Pensamentos e palavras | 91 |
| 4. Pensamentos e ações | 92 |
| 5. Pensamentos, paz e força | 92 |
| 6. Pensamento, energia e pensamentos sagrados | 93 |
| 7. Pensamentos que amarram | 93 |
| 8. Dos pensamentos puros à experiência transcendental | 94 |
| 9. Método da Raja Ioga para transcender os pensamentos | 94 |
| 10. Técnica Vedântica para transcender os pensamentos | 95 |

Capítulo Décimo

## A METAFÍSICA DO PODER DO PENSAMENTO

| | |
|---|---|
| 1. O poder do pensamento e o idealismo prático I | 96 |
| 2. O poder do pensamento e o idealismo prático II | 98 |
| 3. O poder do pensamento e o idealismo prático III | 102 |
| 4. Algumas sementes de pensamento | 105 |

Capítulo Décimo Primeiro

## O PODER DO PENSAMENTO E A REALIZAÇÃO EM DEUS

| | |
|---|---|
| 1. A vida — uma atuação recíproca de pensamentos | 107 |
| 2. Resultados do pensamento na experiência espiritual | 107 |
| 3. Pensamentos de Deus | 108 |
| 4. Pensamentos divinos para se livrar das moléstias | 108 |
| 5. O cultivo do pensamento pelo conhecimento e pela devoção | 109 |
| 6. Os pensamentos e a prática da Ioga da quietude mental | 110 |
| 7. Como fazer amigos pela prática da Ioga | 110 |
| 8. O estado ióguico de não-pensamento | 110 |

9. O poder do Iogue de pensamento desenvolvido 111
10. Barcos-pensamento para ir à força infinita 111

Capítulo Décimo Segundo

## O PODER DO PENSAMENTO PARA UMA NOVA CIVILIZAÇÃO

1. Pensamentos puros — seu impacto no mundo 112
2. O poder do pensamento e o bem-estar do mundo 112
3. O poder do pensamento para o desenvolvimento da coragem e do amor 113
4. O poder do pensamento para uma vida ideal 113
5. Energia do pensamento para servir e para o progresso espiritual 114
6. Ajude o mundo com bons pensamentos 115
7. O poder do pensamento e as condições para uma Nova Civilização 115

## NOTA DO EDITOR

*O valor deste grande livrinho salta aos olhos com a simples leitura de seu índice. É uma obra de interesse permanente e de utilidade multifacetada para o cultivo e conhecimento do Eu, a aquisição de força de personalidade e sucesso na vida. É um livro que instrui, ilumina a inteligência e dá forças à vontade humana para fazer o bem e atingir a grandeza. Estudantes, adultos, médicos, advogados, homens de negócios, aqueles que estão em busca da Verdade e os que amam a Deus, devem todos encontrar nas páginas desta publicação muitas diretivas específicas para o cultivo e o poder do pensamento e para levar uma vida positiva, dinâmica, rica, triunfante e feliz.*

### A SOCIEDADE DA VIDA DIVINA

# PREFÁCIO

Este livro instrutivo possui o dom intrínseco de transformar a vida. Quem quer que o leia, com o devido interesse e atenção, não poderá sentir-se propenso, indefinidamente, a não mudar sua natureza pessoal e a não transformar sua conduta e caráter. Uma boa dose de raciocínio claro e de confiança nos permite afirmar que ninguém, depois de estudar esta obra, poderá resistir ao desejo de fazer de sua vontade um Poder que altere e eleve sua própria vida e destino. A obra está cheia de conselhos implícitos para transformar nossas personalidades em forças de grande influência e atração e fazer com que nossas vidas sejam outros tantos episódios grandiosos no descobrimento épico da Verdade Divina, do Júbilo Divino e da Perfeição Divina encerrados no nosso ser interior.

Pois este é um livro simples, sincero e inspirador que contém muitos métodos para o cultivo e a educação do poder do pensamento. É também uma obra que nos apresenta muitas sugestões úteis que nos permitem atingir uma região acima do campo do pensamento e de seu poder, o reino da Experiência transcendental e da consciência de Deus.

Auxiliado por seu Amor ilimitado por toda a humanidade e levado pela lógica de suas incansáveis energias no servir a todos os homens, Sivananda se tornou extremamente útil a vários tipos de pessoas, a indivíduos dos mais diversos níveis e na sua maneira iluminada e espiritual escreveu livros sobre uma grande variedade de temas. Possuindo em si próprio o verdadeiro sentido de toda a cultura espiritual hindu, Sivananda espalhou por toda a humanidade centenas de dádivas com os seus livros que contêm a Sabedoria da Vida. Esta obra dispensa elogios e produzirá muitos frutos tanto entre o público leigo quanto na comunidade de indivíduos espirituais. Será muito valiosa especialmente para pessoas que, não acreditando em qualquer religião, não se devotando ao amor a Deus, não aceitando qualquer artigo de fé, estão, assim mesmo, dispostas a levar uma vida de poder, pureza, paz, prosperidade, progresso, felicidade e de auto-realização no ambiente de seu mundo cotidiano.

Sivananda, implicitamente, tentou apresentar neste livro em três campos distintos, o conhecimento dinâmico do poder do pensamento:

1. *O campo da mais alta psicologia aplicada:* aqui Sivananda fala dos pensamentos como forças que esculpem a aparência, amoldam o caráter, mudam o destino e fazem da vida um sucesso total.

2. *O campo da parapsicologia desenvolvida ao máximo:* este campo é abrangido pelas passagens e capítulos espalhados pela obra que esclarecem o fato de ser a Mente humana a sede e o centro de certos fatores e poderes supranormais. Sivananda incita os leitores a descobrir esses poderes e a tornar operantes, em suas vidas diárias, as várias faculdades mais elevadas que eles comandam.

3. *O campo da realização transcendental:* sempre que Sivananda receita ou fala de um método para a transcendência do pensamento, ele está tentando levar-nos aos domínios da Realização Divina nos quais o pensamento deixa de ser pensamento e resplandece na Consciência infinita.

De certa maneira, esta obra apresenta Sivananda aos leitores como um psicólogo prático, um físico e um químico no campo dos fenômenos do pensamento, um parapsicólogo, um Iogue e assim os auxilia a construir seus futuros, a obter sucesso na vida e a adquirir a capacidade de manipular o pensamento e extrair deste os poderes extraordinários que contém. O livro também os ajudará a conseguir pela disciplina do pensamento, requinte e cultura, a usar suas faculdades para emitir vibrações saudáveis, construtivas e inspiradoras de pensamento, a obter paz e felicidade fazendo algo grande, e a atingir a realização em Deus que é o sentido, a meta e o destino final de toda vida humana.

## Capítulo Primeiro

## O PODER DO PENSAMENTO — SUA FÍSICA E SUA FILOSOFIA

**1. A VELOCIDADE DO PENSAMENTO SUPERA A DA LUZ.**

Enquanto a luz viaja a uma velocidade de 300 000 quilômetros por segundo, o pensamento é virtualmente instantâneo na sua propagação.

O pensamento é mais sutil do que o éter, o meio condutor da eletricidade. No rádio, uma cantora canta lindas canções em Calcutá. Você as ouve muito bem, por meio do receptor, em sua própria casa, em Nova Delhi. Toda espécie de mensagens é recebida através das ondas de rádio.

A sua própria mente é como um aparelho desse gênero. Um santo que tenha paz, equilíbrio, harmonia e ondas espirituais difunde pelo mundo pensamentos de harmonia e paz. Esses pensamentos viajam com rapidez fulminante em todas as direções, entram nas mentes das pessoas e nelas produzem sentimentos iguais de harmonia e paz. Em contraste com isso, a mente repleta de inveja, vingança e ódio de um homem do mundo, difunde pensamentos discordantes que entram nas mentes de milhares de pessoas, nelas suscitando pensamentos iguais de ódio e discórdia.

**2. O MEIO PELO QUAL O PENSAMENTO SE DIFUNDE.**

Se você atirar uma pedra no meio de um tanque ou poça d'água, ela produzirá uma série de ondas concêntricas que se propagarão à volta do ponto da queda.

A chama de uma vela dará igualmente origem a ondas de vibrações etéricas que se propagam à sua volta, em todas as direções.

Da mesma maneira, quando um pensamento, bom ou mau, cruza o espírito de uma pessoa, origina vibrações dos Manas, ou atmosfera mental, vibrações que viajam longe, em todas as direções.

Qual seria o meio condutor em que os pensamentos de uma pessoa passam para a mente de outra? A melhor explicação possível é a de que o Manas, ou substância mental, enche, como o éter, todo o espaço e serve de veículo dos pensamentos, como o Prana dos sentimentos, o éter do calor, da luz e da eletricidade e o ar do som.

3. O ÉTER DO ESPAÇO REGISTRA OS PENSAMENTOS.

Você pode mover o mundo através do poder do pensamento. Ele possui enorme força. Pode ser transmitido de pessoa a pessoa. Os poderosos pensamentos de grandes sábios e Rishis de tempos idos continuam registrados no Akasa (Registros Akásicos).

Os iogues dotados de clarividência conseguem captar essas imagens-pensamentos e sabem lê-las.

Você está cercado por um oceano de pensamento. Flutua num oceano de pensamento. Está absorvendo alguns e rejeitando outros no mundo do pensamento.

Cada um de nós tem o seu mundo de pensamento.

4. OS PENSAMENTOS SÃO COISAS VIVAS.

Os pensamentos são coisas vivas. Um pensamento é tão sólido quanto a pedra. Podemos deixar de existir, mas os nossos pensamentos nunca morrem.

Cada mudança de pensamento é acompanhada pela vibração da matéria (mental). O pensamento, para funcionar como força, necessita de uma espécie de matéria sutil.

Quanto mais forte for o pensamento, mais rapidamente ele frutifica. O pensamento é focalizado e isso lhe dá determinada direção e, na proporção em que for focalizado e dirigido, estará o efeito que pretende alcançar.

5. OS PENSAMENTOS SÃO FORÇAS MAIS SUTIS.

O pensamento é uma força refinada. Esta nos é fornecida por alimentos. Compreenderá bem este ponto se ler o diálogo entre Uddalada e Svetaketu no Chhandogya Upanishad.

Quando o alimento é puro o pensamento também será puro. Quem tem pensamentos puros fala com grande pujança e produz profunda impressão nas mentes dos que ouvem suas palavras. Influencia milhares de pessoas através de seus pensamentos puros.

Um pensamento puro é mais afiado do que a lâmina de uma navalha. Cultive sempre pensamentos puros e sublimes. O cultivo do pensamento é uma ciência exata.

6. OS PENSAMENTOS SÃO MENSAGENS RADIOFÔNICAS.

Aqueles que alimentam pensamentos de ódio, inveja, vingança e maldade são, realmente, pessoas muito perigosas. Causam inquietação e má vontade entre os homens. Seus pensamentos e sentimentos são, como as mensagens radiofônicas, transmitidos através do éter e captados por indivíduos cuja mente é receptiva a tais vibrações.

A velocidade com que se move o pensamento é incomensurável. Os que cultivam pensamentos sublimes ou piedosos ajudam outros que estejam perto ou mesmo longe.

7. OS PENSAMENTOS SÃO FORÇAS EXTRAORDINÁRIAS.

O pensamento possui um poder incrível. Pode curar moléstias. Pode transformar a mentalidade das pessoas. Pode fazer qualquer coisa, até milagres. A velocidade do pensamento é incalculável.

O pensamento é uma força dinâmica. É causado pelas vibrações do Prana psíquico, ou Sukshma Prana, na substância mental. É uma força como a gravitação, coesão e repulsão. O pensamento viaja ou se move.

8. ONDAS DE PENSAMENTO E TRANSMISSÃO DE PENSAMENTO.

Afinal de contas, o que é este mundo? Nada mais do que a materialização de formas pensadas por Hiranyagarbia ou Deus.

A ciência estuda as ondas de calor, de luz e de eletricidade. As ondas de pensamentos são matéria da Ioga. O pensamento possui um poder extraordinário. Inconscientemente, em maior ou menor grau, todos sentem o poder do pensamento.

Grandes Iogues como Jnanadev, Bhartrihari e Pantajali costumavam enviar e receber mensagens de pessoas distantes através da telepatia mental (rádio mental) e da transmissão de pensamento. A telepatia foi o primeiro serviço radiofônico, telegráfico e telefônico que existiu no mundo.

Assim como você faz ginástica, esportes, como o tênis e o *cricket*, para manter a saúde física, precisa manter a saúde mental pela transmissão de ondas corretas de pensamento, ingerindo alimento Sátvico, procurando distrações mentais de tipo inocente e inofensivo, mudando de estado de ânimo, relaxando a mente pelo cultivo de pensamentos bons, enobrecedores e sublimes e tentando adquirir o hábito de estar sempre alegre.

9. AS MARAVILHAS DAS VIBRAÇÕES DO PENSAMENTO.

Cada pensamento que você envia para o éter é uma vibração que jamais perece. Faz vibrar continuamente cada partícula do universo e, se seus pensamentos forem nobres, santos e fortes eles porão em vibração todas as mentes que tenham afinidade com a sua.

Todos os que se parecem com você recebem o pensamento que projetou e, segundo suas próprias capacidades individuais, enviam pensamentos semelhantes. Disto resulta que, sem tomar conhecimento de seu trabalho, você estará pondo em movimento grandes forças que, operando em conjunto, eliminarão os pensamentos mesquinhos e baixos gerados pelos egoístas e pelos maldosos.

10. A DIVERSIDADE DAS VIBRAÇÕES DE PENSAMENTOS.

Cada indivíduo tem o seu próprio mundo mental, sua própria maneira de pensar, seu próprio jeito de compreender as coisas, e seu próprio modo de agir.

Assim como o rosto e a voz de um homem difere dos de um outro, também é diversa a maneira de pensar e de compreender. Daí a razão por que mal-entendidos ocorrem tão facilmente entre amigos.

A gente não pode compreender exatamente os pontos de vista de outrem. Então, às vezes num minuto, acontecem choque, briga e ruptura entre grandes amigos. A amizade não dura muito.

Deveríamos sintonizar com as vibrações mentais ou vibrações de pensamentos dos outros. Só então poderíamos nos entender facilmente.

Pensamentos de luxúria, de ódio, de inveja e de egoísmo produzem, na mente, imagens destorcidas, encobrem de névoa a compreensão, pervertem o intelecto, causam perda de memória e confusão mental.

11. A CONSERVAÇÃO DA ENERGIA DO PENSAMENTO.

Existe na física o termo "força de orientação". Apesar de haver uma massa de energia a corrente não flui. Precisa ser ligada ao circuito e só então a corrente elétrica fluirá através da "força de orientação".

Assim também a energia mental que se dissipa e é mal dirigida por vários pensamentos inúteis e mundanos deveria ser levada para verdadeiros canais espirituais.

Não acumule no cérebro informações inúteis. Aprenda a desmentalizar a mente. Esqueça tudo o que não lhe for útil. Só então você poderá encher sua mente de pensamentos divinos. À medida que os raios mentais dissipados forem coletados novamente você adquirirá nova força mental.

12. A TEORIA DA CÉLULA E OS PENSAMENTOS.

Uma célula é uma massa de protoplasma com um núcleo. É dotada de inteligência. Algumas células produzem secreção, outras excretam. As células dos testículos secretam o sêmen; as células dos rins excretam a urina. Certas células representam o papel de soldado. Defendem o corpo das investidas ou ataques de matérias venenosas estranhas ou de germes. Elas os digerem e os jogam fora. Certas células transportam os alimentos para os tecidos e os órgãos.

As células realizam seu trabalho sem o conhecimento consciente de nossa vontade. Suas atividades são controladas pelo sistema nervoso simpático. Estão em comunhão direta com a mente no cérebro.

Todo impulso da mente, todo pensamento, é transmitido às células. Estas são enormemente afetadas pelas várias condições ou estados do ânimo. Se na mente existir confusão, depressão e outras emoções e pensamentos negativos estes serão transmitidos telegraficamente através dos nervos a cada célula no corpo. As células soldados entram em pânico. Enfraquecem. Ficam incapacitadas para executar corretamente suas funções. Tornam-se ineficientes.

Algumas pessoas pensam demais no corpo e não têm idéia do que seja o Eu, levam uma vida indisciplinada e desregrada, abarrotam o estômago de doces e de bolos, etc. Não dão descanso aos órgãos de digestão e de excreção. Sofrem de fraqueza e de moléstias. Os átomos, moléculas e células em seus corpos produzem vibrações desarmoniosas e discordantes. Carecem de esperança, confiança, fé, serenidade e alegria. São infelizes. A força vital não está funcionando direito. O nível de sua vitalidade é baixo. Têm a mente cheia de medo, desespero, preocupação e ansiedade.

13. O PENSAMENTO PRIMORDIAL E A CIÊNCIA MODERNA.

O pensamento é a maior força na terra. O pensamento é a arma mais poderosa na estrutura de um Iogue. O pensamento construtivo transforma, renova e edifica.

As possibilidades de longo alcance desta força foram desenvolvidas até a perfeição, de maneira exata, pelos antigos que dela fizeram um uso extraordinário.

Porque o pensamento é a força primordial que se encontra na origem e por trás de toda a criação; a gênese de toda a criação fenomenológica foi concebida num único pensamento que surgiu na Mente Cósmica.

O mundo é a manifestação da Idéia Primordial. Este Primeiro Pensamento se manifestou como uma vibração saindo da eterna Quietude da Essência Divina. Na terminologia clássica esta é a referência à Ichha, desejo do Hiranyagarbha, Alma Cósmica, que se originou como um Spandana ou vibração.

Essa vibração em nada se assemelha à rápida oscilação de partículas físicas pois é algo infinitamente sutil, tão sutil a ponto de ser inconcebível para a mente normal.

Mas isto tornou claro que, em última análise, todas as forças são pura vibração. Depois de suas prolongadas pesquisas da natureza física externa, a ciência moderna chegou, ultimamente, a essa conclusão.

14. O RÁDIO E OS IOGUES RAROS.

O rádio é um elemento raro; como ele são os Iogues que controlaram seus pensamentos.

Da mesma forma que o perfume suave emana continuamente de uma varinha de incenso, o perfume e o fulgor divino (aura Brâmica, magnética) emanam de um Iogue que controlou seus pensamentos e que reside constantemente em Brama ou no Infinito.

O fulgor e o perfume de seu rosto chama-se Brama-Varchas. Quando você tem nas mãos um ramalhete de jasmins, rosas e flores champaka, o suave perfume espalha-se pela sala e é sentido por todos.

O mesmo acontece com o perfume ou fama e reputação (Yasas e Kirti) de um Iogue que controlou seus pensamentos pois ele se espalha a grandes distâncias. O Iogue torna-se uma força cósmica.

15. O PENSAMENTO — SEU PESO, TAMANHO E ESTRUTURA.

Todo pensamento possui peso, forma, tamanho, estrutura, cor, qualidade e poder. Um Iogue, com seu olho iogue interior, pode ver claramente todos esses pensamentos.

Os pensamentos são como coisas. Da mesma maneira que você entrega uma laranja a um amigo e a toma de volta, também pode dar um pensamento útil, poderoso a seu amigo e tomá-lo de volta.

O pensamento é uma grande força; move-se; cria. Você poderá operar milagres com o poder do pensamento. Precisa saber a técnica certa de como manipular e usar um pensamento.

16. O PENSAMENTO — SUA FORMA, SEU NOME E COR.

Imaginemos que sua mente fique absolutamente calma, totalmente desprovida de pensamentos. No entanto, assim que um pensamento surja, imediatamente irá adquirir nome e forma.

Todo pensamento tem um determinado nome e uma determinada forma. Você deve saber que cada idéia que um indivíduo conceba ou possa conceber está infalivelmente ligada a uma certa palavra, como seu complemento.

A forma é o estado mais grosseiro e o nome o mais sutil de um único poder que se manifesta chamado pensamento.

Mas estas três coisas se resumem numa só: onde está uma lá estarão as outras duas. Onde houver um nome lá estarão a forma e o pensamento.

A cor de um pensamento espiritual é amarela. A de um cheio de rancor e ódio é vermelho escuro; marrom, a de um pensamento egoísta e assim por diante.

17. O PENSAMENTO — SEU PODER, FUNCIONAMENTO E USOS.

O pensamento é um poder vital, ativamente dinâmico, — a força mais vital, sutil e irresistível que existe no universo.

Através da manipulação do pensamento você adquire poder criador. O pensamento passa de uma pessoa a outra. Influencia as criaturas; um indivíduo com pensamentos fortes pode facilmente influenciar pessoas de pensamentos fracos.

Existem hoje inúmeros livros sobre o cultivo do pensamento, o poder do pensamento, a dinâmica do pensamento. Se você os estudar poderá compreender o que é o pensamento, seu poder, seu funcionamento e a utilização que dele pode ser feita.

18. VIVEMOS NUM MUNDO DE PENSAMENTOS ILIMITADOS.

O mundo inteiro, as grandes dores, a velhice, a morte, e o grande pecado, a terra, a água, o fogo, o ar, o éter, tudo é unicamente pensamento. O pensamento prende o homem. Aquele que conseguiu controlar seus pensamentos é um verdadeiro Deus nesta terra.

Você vive num mundo de pensamentos. Primeiro existe o pensamento. Depois vem a expressão desse pensamento através do órgão vocal. O pensamento e a linguagem estão intimamente ligados. Pensamentos de rancor, de amargura e de maldade fazem mal aos outros. Se sumir a mente que é a causa de todos os pensamentos, os objetos externos desaparecerão.

Os pensamentos são coisas. O som, o toque, a forma, o sabor e o cheiro, os cinco revestimentos, o estar acordado, os sonhos e os estados de sono profundo — são todos produtos da mente. Saiba que Sankalpa, a paixão, a raiva, a sujeição, o tempo são resultados da mente. A mente é a soberana dos Indryas ou sentidos. O pensamento é a raiz de qualquer processo mental.

Os pensamentos que percebemos à nossa volta nada mais são do que a estrutura da mente ou sua substância. O pensamento cria e destrói. A amargura ou a ternura não estão nos objetos mas na mente, no sujeito, no seu modo de pensar. São criadas pelo pensamento.

De acordo com a maneira como a mente ou o pensamento vê os objetos a distância pode parecer grande ou pequena. Nenhum objeto no mundo tem ligação com outro; eles estão ligados ou associados unicamente pelo pensamento, pela imaginação de sua mente. É ela quem dá cor, forma e qualidades aos objetos. A mente toma a forma de qualquer objeto sobre o qual pense intensamente.

Amigo e inimigo, virtude e vício existem apenas na mente. Cada indivíduo cria um mundo de bem e de mal, de prazer e de dor unicamente com sua própria imaginação. O bem e o mal, o prazer e a dor não estão nos objetos. Pertencem à sua atitude mental. Não existe nada de bom ou de agradável neste mundo. Sua imaginação é que os torna assim.

19. OS PENSAMENTOS, A ELETRICIDADE E A FILOSOFIA.

Os pensamentos são poderes gigantes. São mais poderosos do que a eletricidade. Controlam sua vida, amoldam seu caráter e estruturam seu destino.

Repare como um pensamento se desenvolve em muitos outros em pouco tempo. Imaginemos que você tenha a idéia de convidar seus amigos para um chá. A idéia do "chá" imediatamente atrai os pensamentos sobre açúcar, leite, xícaras, mesas, cadeiras, toalha, guardanapos, colheres, bolos, biscoitos, etc. Portanto, este mundo nada mais é do que a expansão dos pensamentos. A expansão dos pensamentos da mente em relação aos objetos significa sujeição e a renúncia aos pensamentos é a liberação.

Precisa estar muito atento para podar os pensamentos que estão brotando. Só então poderá ser feliz de verdade. A mente joga sujo. Você precisa compreender seu caráter, seu jeito e seus hábitos. Só então poderá controlá-la facilmente.

O livro mais extraordinário do mundo sobre idealismo filosófico prático na Índia é o *Ioga-Vasishtha*. Em resumo, a obra é o seguinte: "Existe apenas o Brama não dualista ou alma imortal. O universo, como universo, não existe. Somente o conhecimento do Eu nos libertará deste círculo de nascimentos e mortes. A eliminação dos pensamentos e Vasanas é Moksha. A expansão da mente só é Sankalpa. Sankalpa ou pensamento, através de seu poder de diferenciação gera este universo. Este mundo é um jogo da mente. Ele não existe nos três períodos do tempo. A extinção dos Sankalpas é Moksha. Aniquile o pequeno "eu", os Vasanas, os Sankalpas, os pensamentos. Medite sobre o "Eu" e torne-se um Jivamukta."

20. O MUNDO EXTERIOR EXISTE PREVIAMENTE NOS PENSAMENTOS.

Todo pensamento possui uma imagem. Uma mesa é uma imagem mental acrescida de algo externo.

Tudo o que vê fora de você tem seu correlativo na mente. A pupila é uma coisinha redonda e pequena no olho. A retina é uma estrutura diminuta. Como é que a imagem de uma grande montanha vista através de uma abertura ou estrutura pequena se imprime na mente? Esta é a maravilha das maravilhas.

A imagem da montanha já existe na mente. A mente é como uma enorme tela que já contém a imagem de todos os objetos vistos fora de nós.

21. O MUNDO — UMA PROJEÇÃO DO PENSAMENTO.

Uma reflexão cuidadosa mostrará que todo o universo é, na verdade, a projeção da mente humana — *Manomatram Jagat*. A purificação e o controle da mente são a finalidade básica de todas as Iogas. A mente, em si, nada mais é do que o registro de impressões que continuam se exprimindo incessantemente como impulsos ou pensamentos. A mente é aquilo que faz. O pensamento impele você a agir; a atividade cria novas impressões na matéria mental.

A Ioga corta pela raiz este círculo vicioso por um método eficiente de coibir as funções da mente. A Ioga examina, controla e pára, na raiz, a função da mente, isto é, o *pensamento*. Quando alguém transcende o pensamento, a intuição funciona e o conhecimento do Eu vem à tona.

O pensamento tem o poder de criar ou de eliminar o mundo numa fração de segundo. A mente cria o mundo de acordo com o seu próprio Sankalpa ou pensamento. É a mente que cria o universo *(Manomatram jagat; Manahkalpitam jagat)*. Através do jogo da mente um momento é reconhecido como Kalpa ou vice-versa. Como um sonho que gera outro sonho na mente, sem ter forma visível cria imagens visíveis.

22. OS PENSAMENTOS, O MUNDO E A REALIDADE INFINITA.

É a mente que germina as raízes da árvore de Samsara com seus milhares de brotos, de galhos, de tenras folhas e frutos. Se você eliminar os pensamentos poderá destruir imediatamente a árvore de Samsara.

Destrua os pensamentos assim que eles surjam. A raiz secará pela eliminação dos pensamentos e logo a árvore de Samsara morrerá.

Isto exige enorme paciência e perseverança. Quando todos os pensamentos forem extirpados você mergulhará num oceano de bem-aventurança. Este estado é indescritível. Terá que senti-lo você mesmo.

Assim como o fogo é reabsorvido pela própria fonte quando o combustível se consome, a mente é reabsorvida pela sua fonte, o Atma, quando todos os Sankalpas, ou pensamentos, forem eliminados. Então consegue-se atingir o Kaivalya, a experiência da Realidade Infinita, o estado de absoluta independência.

## Capítulo Segundo

## O PODER DO PENSAMENTO — SUAS LEIS E SUA DINÂMICA

1. O PENSAMENTO — O ARQUITETO DO DESTINO.

Se a mente gira constantemente sobre um tipo de pensamento, forma-se um sulco para o qual escorre automaticamente a força do pensamento e tal hábito de pensar continua depois da morte e, como pertence ao ego, é levado para a nova encarnação como tendência ou capacidade de pensamento.

É preciso lembrar que todo pensamento tem sua imagem mental. A essência das várias imagens mentais formadas numa determinada vida física está sendo trabalhada no plano mental. Constitui a base para a próxima vida física.

Assim como um novo corpo físico é formado em cada nascimento, também são formados uma nova mente e um novo Buddhi.

Não é fácil explicar em detalhe o funcionamento do pensamento e do destino. Cada Carma produz dois efeitos paralelos, um na mente individual e outro no mundo. O indivíduo cria as circunstâncias de sua futura vida pelo efeito de suas ações sobre outros.

Cada ação tem um passado que a levou a ela e um futuro que se segue a ela. Uma ação implica num desejo que a causou e num pensamento que a formulou.

Cada pensamento é um elo na ilimitada corrente de causas e efeitos, cada efeito tornando-se uma causa e cada causa tendo sido um efeito; e cada elo na corrente ilimitada é forjado com três componentes — desejo, pensamento e ação. Um desejo estimula um pensamento; o pensamento incorpora-se numa ação. A ação constitui a trama do destino.

Cobiçar egoisticamente as posses alheias, ainda que nunca se transforme em trapaças ativas no presente, nos fará um ladrão numa vida futura, enquanto que o ódio e a vingança, ainda que alimentados em segredo, são as sementes das quais surgirá o assassino.

Assim também o amor desinteressado prepara a vinda do filântropo e do santo; e cada pensamento de compaixão ajuda a criar a natureza terna e cheia de piedade que pertence ao que se pode chamar de amigo de todas as criaturas.

O sábio Vasishtha pede a Rama que faça Purushartha, ou mostre a habilidade com que opera. Não se entregue ao fatalismo. Este produzirá inércia e preguiça. Reconheça os Grandes Poderes do Pensamento. Opere. Pensando direito você poderá criar para si próprio um grande destino.

Prarabdha é Purushartha da última encarnação. Você semeia uma ação e colhe um hábito; um hábito semeado resulta em caráter. Semeie um caráter e colherá um destino.

O homem é dono de seu próprio destino. Pelo poder de seu pensamento você mesmo é que faz o seu destino. Pode desfazê-lo se quiser. Em você estão latentes todas as faculdades, energias e poderes. Desenvolva-as e torne-se livre e grande.

2. OS PENSAMENTOS ESCULPEM SUA APARÊNCIA.

Seu rosto é como um disco de vitrola. O que quer que você pense é imediatamente escrito no seu rosto.

Cada mau pensamento serve de cinzel ou agulha para marcar sua aparência. Seu rosto está coberto de cicatrizes e chagas feitas pelos maus pensamentos de ódio, raiva, luxúria, inveja, vingança, etc.

Pela natureza das cicatrizes no seu rosto podemos ler imediatamente seu estado de espírito. Podemos diagnosticar instantaneamente a moléstia de sua mente.

Aquele que julga poder esconder seus pensamentos não passa de um bobo. Assemelha-se à avestruz que, quando perseguida por caçadores, esconde a cabeça debaixo da areia e acha que não pode mais ser vista.

O rosto é o índice da mente. O rosto é o molde da mente. Cada pensamento marca um sulco no rosto. Um pensamento divino ilumina o rosto. Pensamentos divinos contínuos aumentam a aura ou halo.

Maus pensamentos permanentes aumentam a profundidade das impressões sombrias, assim como batidas repetidas de um balde contra os lados de um poço, quando se tira a água, vão amassando o balde. A expressão facial expõe, na verdade, o estado interior da mente ou o real conteúdo da mente.

O rosto é como um painel de anúncios onde aparece o que está acontecendo na mente. Seus pensamentos, sentimentos, estados de ânimo e emoções produzem fortes impressões sobre o rosto.

De fato, você mal consegue esconder seus pensamentos. Erroneamente é capaz de achar que os manteve secretos. Os pensamentos de luxúria, de cobiça, de inveja, de raiva, de ódio, etc. produzem sempre fundas impressões em seu rosto.

O rosto é um gravador exato e um aparelho registrador que grava e registra todos os pensamentos da sua mente.

O rosto é um espelho que reflete a natureza da mente e o que esta contém num determinado momento.

3. OS PENSAMENTOS RETRATAM AS EXPRESSÕES FÍSICAS.

A mente é a forma sutil do corpo físico. Este é a manifestação externa dos pensamentos. Por isso quando a mente é destorcida, o corpo também é destorcido.

Assim como uma aparência rude geralmente não consegue inspirar amor e piedade nos outros, um indivíduo de mente áspera também não inspira amor e piedade em ninguém.

A mente reflete muito claramente no rosto os seus vários estados e estes podem ser lidos com facilidade por uma pessoa inteligente.

O corpo acompanha a mente. Se a mente pensar em cair de uma grande altura o corpo imediatamente se prepara e mostra sinais exteriores. O medo, a ansiedade, a dor, a alegria, a hilariedade, a raiva, todos produzem suas várias impressões no rosto.

4. SEUS OLHOS CONFESSAM SEUS PENSAMENTOS.

Os olhos que representam as janelas da alma revelam a condição e o estado da mente.

Existe nos olhos um instrumento telegráfico que transmite as mensagens ou pensamentos de traição, depressão, tristeza, ódio, alegria, paz, harmonia, saúde, poder, força e beleza.

Se você tem a capacidade de ler os olhos dos outros, poderá, imediatamente, ler as mentes. Saberá qual o pensamento principal ou dominante de uma pessoa se observar cuidadosamente os sinais em seu rosto, conversa e comportamento. Precisa ter apenas um pouco de vontade, percepção, treino, inteligência e experiência.

5. OS PENSAMENTOS NEGATIVOS ENVENENAM A VIDA.

Os pensamentos de preocupação e de medo são forças terríveis dentro de nós mesmos. Envenenam a própria fonte da vida e destroem a harmonia, a eficiência de agir, a vitalidade e o vigor. Enquanto que os pensamento opostos de bom humor, alegria e coragem, curam, acalmam em vez de irritar, aumentam enormemente a eficiência e multiplicam os poderes mentais. Esteja sempre de bom humor. Sorria. Ria.

6. DISTÚRBIOS PSICOSSOMÁTICOS.

O pensamento exerce influência sobre o corpo. A tristeza na mente enfraquece o corpo. O corpo também influencia a mente. Um corpo são torna a mente sã. Quando o corpo está doente a mente também adoece. Se o corpo é forte e saudável a mente será paralelamente forte e saudável.

Ataques violentos de mau humor produzem danos sérios nas células do cérebro, espalham produtos químicos venenosos no sangue, causam um choque generalizado e depressão; suprimem a secreção dos sucos gástricos, a bílis e outros, nos canais digestivos, esgotam sua energia e vitalidade, provocam velhice prematura e encurtam a vida.

Quando você se zanga sua mente fica perturbada. Assim também, quando sua mente se perturba seu corpo sente distúrbios. Todo o sistema nervoso se agita. Você se enerva. Controle a raiva pelo amor. A raiva é uma energia poderosa que não pode ser controlada pelo Vyavaharic Buddhi prático, mas é controlada pela razão pura (Sattvic Buddhi) ou Viveka-Vichara.

## 7. OS PODERES DO PENSAMENTO CRIATIVO.

O pensamento cria o mundo. Ele faz as coisas existirem. Os pensamentos dão ímpeto aos desejos e excitam as paixões. Portanto, os pensamentos opostos de eliminar os desejos e as paixões virão se sobrepor à idéia inicial de satisfazer os desejos. Daí vem que quando uma pessoa compreende isto, um pensamento oposto a ajudará a eliminar seus desejos e paixões.

Pense em alguém como sendo um bom amigo e a coisa começa a se tornar realidade. Pense nele como um inimigo e a mente também apura o pensamento a ponto de o transformar em fato. Quem conhece o funcionamento da mente e a controla na prática, é realmente feliz.

## 8. PENSAMENTOS SEMELHANTES ATRAEM-SE MUTUAMENTE.

A grande lei "os semelhantes exercem mútua atração" também opera no mundo do pensamento. Pessoas que pensam de maneira semelhante procuram umas às outras. Daí a razão dos seguintes provérbios: "As aves da mesma plumagem se juntam", "Conhece-se um homem pela companhia em que anda".

Um médico sente-se bem junto de outro médico. Um poeta é atraído por outro poeta. Um cantor procura outros cantores. Um filósofo gosta de outro filósofo e um vagabundo de outro vagabundo. A mente possui um "poder de atração".

Você atrai, continuamente, para si, tanto do lado visível quanto do invisível das forças vitais, pensamentos, influências e condições que mais se aproximam de seus próprios pensamentos e direções.

No mundo dos pensamentos, as pessoas que pensam da mesma maneira atraem-se mutuamente. Esta lei universal opera o tempo todo quer estejamos conscientes dela ou não.

Alimente qualquer tipo de pensamento que quiser e enquanto ele permanecer na sua mente, mesmo que você atravesse terras e mares, atrairá constantemente, consciente ou inconscientemente, exatamente aquilo que corresponde à sua qualidade dominante de pensamento. Os pensamentos são propriedade privada de cada um e podem ser manipulados ao bel-prazer do indivíduo se este, paulatinamente, reconhecer que tem a habilidade de fazê-lo.

Está inteiramente em suas mãos a possibilidade de determinar que espécie de pensamento quer alimentar e conseqüentemente o tipo de influência que vai atrair para si e ninguém é simples folha carregada pelas circunstâncias, a não ser que deseje sê-lo.

## 9. A GRIPE ESPANHOLA E O CONTÁGIO DOS PENSAMENTOS.

A ação mental é um ato real. O pensamento é a verdadeira ação. Devemos lembrar que o pensamento é muito contagioso; isto é, é mais contagioso do que a gripe espanhola.

Um pensamento bom em você produz pensamentos bons naqueles com quem convive. Um pensamento de rancor gera vibrações semelhantes nos que cercam um homem cheio de raiva. Sai do cérebro de um indivíduo e penetra nos de outros, mesmo que estejam longe, e os excita.

Um pensamento alegre em você produz pensamentos alegres em outros. A gente se encanta e sorri feliz ao ver um grupo de crianças alegres brincando, dançando e rindo.

Um pensamento de felicidade cria em outras pessoas pensamentos de felicidade. O mesmo acontece com pensamentos sublimes e elevados.

Mantenha um homem bom e honesto na companhia de um ladrão. Ele começará a roubar. Se um sujeito sóbrio ficar sempre junto de um beberrão, pôr-se-á a beber. O pensamento é muito contagioso.

## 10. FAZER VIGORAR UMA LEI PSICOLÓGICA.

Mantenha jovem o seu coração. Não pense: "Estou velho." Pensar "Estou velho" é um mau hábito. Não alimente esse pensamento. Aos 60 pense "tenho 16 anos". Você se torna aquilo que pensa. Esta é uma lei psicológica importante.

"Um homem se torna o que pensa ser." Esta é uma grande verdade. Pense "sou forte" e ficará forte. Pense "sou fraco" e será fraco. Pense "sou um bobo" e se tornará bobo. Pense "sou um sábio ou Deus" e será sábio ou Deus.

O pensamento é a única coisa que amolda e estrutura um homem. O ser humano vive sempre num mundo de pensamentos. E cada um tem o seu próprio mundo de pensamentos. A imaginação opera milagres. O pensamento possui um poder tremendo. Como já foi dito, o pensamento é uma coisa sólida. Seu presente é o resultado de seus pensamentos passados e seu futuro seguirá a direção de seus pensamentos presentes. Se você pensar corretamente falará e agirá corretamente. As palavras e os atos são simplesmente uma continuação do pensamento.

11. COMPREENDA AS LEIS DO PENSAMENTO.

Todos os homens deveriam estudar e compreender as leis do pensamento e como funcionam. Só então pode-se viver bem e feliz neste mundo. Porque aí o indivíduo saberá utilizar as forças auxiliadoras para que estas sirvam da melhor maneira possível ao fito que almeja.

Ele poderá neutralizar as forças hostis e as correntes antagônicas. Como o peixe nada contra a corrente, ele enfrentará as correntes hostis adaptando-se adequadamente e resguardando-se pelo uso de métodos práticos de precaução.

Do contrário se tornará um escravo. Será atirado indefeso de um lado para o outro pelas diversas correntes. Perderá totalmente a direção como um pedaço de madeira jogado num rio. Sentir-se-á sempre triste e infeliz ainda que seja rico e possua tudo.

O capitão de um navio que possui bússola, conhecimento do mar e das várias correntes oceânicas, navega tranqüilamente. Do contrário sua embarcação ficará indefesa, à mercê de vários elementos e poderá naufragar num choque com um iceberg ou com rochas submersas. Da mesma forma, um bom marinheiro, no oceano desta vida, que possua conhecimento detalhado das Leis do Pensamento e da Natureza poderá realizar uma viagem fácil e atingir, positivamente, sua meta na vida.

Compreenda as leis do pensamento e será capaz de amoldar ou estruturar o seu caráter da maneira que quiser. O velho provérbio "Um homem se torna o que pensa ser" é uma das leis básicas do pensamento. Pense que é puro e se tornará puro. Pense que é nobre e nobre será.

Transforme-se numa encarnação do bom humor. Pense bem de todos. Faça sempre boas ações. Sirva, ame, dê. Faça os outros felizes. Viva para servir os outros. Então colherá felicidade. Circunstâncias ou oportunidades e meios favoráveis aparecerão para você.

Se ferir os outros, se espalhar escândalos, intrigas, calúnias, mexericos, se explorar as pessoas, se adquirir ilegalmente a propriedade alheia, se, por qualquer ato, fizer alguém sofrer, você colherá dor. Circunstâncias ou oportunidades e meios desfavoráveis serão o seu quinhão.

Esta é a lei do pensamento e da natureza. Assim como você pode construir para si um bom ou mau caráter com pensamentos sublimes ou baixos, pode também criar circunstâncias favoráveis ou desfavoráveis pelas suas ações boas ou más.

Uma pessoa com discernimento é sempre cuidadosa, vigilante e circunspecta. Examina sempre e cautelosamente seus pensamentos. Usa a introspecção.

Sabe o que está acontecendo em sua fábrica mental, qual o Vritti ou o Guna predominante num determinado momento. Nunca permite que um mau pensamento passe os portões de sua fábrica mental. Corta-o pela raiz.

Pela sua boa maneira de pensar, pelo exame da qualidade de seus pensamentos, pela introspecção, pela sua nobreza mental ativa, a pessoa com discernimento constrói um caráter nobre e amolda seu grande destino. Fala pouco. Suas palavras são doces e amorosas. Nunca diz algo duro que possa afetar os sentimentos alheios.

Cria nela própria a paciência, a misericórdia e o amor universal. Tenta dizer a verdade. Assim corrige o Vag-Indriya e os impulsos da fala. Usa palavras medidas. Escreve coisas medidas. Isto produz impressão profunda e favorável nas mentes de outros.

Ela pratica Ahimsa e Brahmacharya em pensamento, palavra e ação. Pratica Saucha e Arjava (modo correto de agir). Tenta manter um equilíbrio mental e estar sempre de bom humor. Mantém Suddha-Bhava. Experimenta usar estes três tipos de Tapas (físico, verbal e mental) e controla seus atos. É incapaz de pensar mal e de agir mal.

Prepara-se para criar sempre à sua volta circunstâncias favoráveis. Quem espalha felicidade produzirá sempre circunstâncias tão favoráveis que estas lhe trarão felicidade. Quem espalha tristeza e dor para os outros, construirá, de acordo com a lei do pensamento, circunstâncias tão desfavoráveis que estas lhe trarão tristeza e dor. Portanto o homem, pela sua maneira de pensar, cria seu próprio caráter e circunstâncias.

Um mau caráter pode se transformar em um bom através de bons pensamentos e circunstâncias desfavoráveis podem se transformar em favoráveis pelas boas ações.

12. AS LEIS IMPLÍCITAS NOS PENSAMENTOS MAIS ALTOS.

Você se torna aquilo que pensa. Sua vida é forçosamente um resultado de seus pensamentos. Melhore sua maneira de pensar. Pensamentos melhores provocam ações melhores.

Pensar só nas coisas materiais significa dor. A servidão é causada pelo próprio pensamento. Este é uma força maior do que a eletricidade.

A mente que é atraída pelos objetos materiais tende a cair numa servidão enquanto que a oposta caminha para a emancipação. A mente é um *gangster*. Mate esse *gangster* mental. Será feliz e livre para sempre. Mostre toda a sua força na tarefa de conquistar sua mente. Isto é verdadeira bravura ou Purushartha.

Resistir ao desejo leva à purificação e refinamento da mente. Purifique e aquiete os pensamentos. As camadas de ignorância que encobrem o conhecimento só são removidas por uma mente calma.

A parte sutil do alimento forma a mente. A mente é fabricada pelo alimento. A parte sutil do alimento se transforma em mente. Alimento não significa apenas o que comemos mas tudo o que captamos através dos sentidos.

Aprenda a ver Deus em tudo. Isto será verdadeiro alimento para os olhos. A pureza dos pensamentos dependerá da pureza do alimento. Poderá ver, ouvir, saborear e pensar melhor se se alimentar de pensamentos sublimes e divinos.

Olhe para um objeto através de lentes verdes ou vermelhas: ele parecerá verde ou vermelho. E assim também os objetos são coloridos pelos desejos passando pelo espelho da mente. Todos os estados mentais são transitórios; produzem dor e tristeza.

Tenha liberdade de pensamento. Liberte-se da escravidão do preconceito que embota o intelecto e obscurece os pensamentos. Pense no Atma imortal. Este é o método certo de pensar de maneira original e direta. O Atma revela-Se depois da purificação dos pensamentos. Quando a mente está serena sem qualquer objetivo, motivação, ânsias, desejos ou pensamentos, sem qualquer compulsão, sem esperança, é que o Atma supremo brilha. Aí experimentamos o que significa bem-aventurança. Viva da forma como vivem os santos. É a única maneira de conquistar a vitória sobre os pensamentos, a mente e o eu inferior e até ter conquistada a mente não poderá obter uma vitória certa e permanente.

13. O PENSAMENTO — UM BUMERANGUE.

Tenha cuidado com os pensamentos. Tudo o que sua mente enviar, volta para você. Cada pensamento é um bumerangue.

Se odeia alguém, o ódio lhe será devolvido. Se ama os outros, o amor lhe será restituído.

Um mau pensamento é triplamente maligno. Primeiro, prejudica o pensador fazendo mal ao seu corpo mental. Segundo, prejudica a pessoa visada. Terceiro, prejudica toda a humanidade por viciar a atmosfera mental inteira.

Todo mau pensamento é uma espada desembainhada sobre a pessoa visada. Se você alimenta pensamentos de ódio, na realidade já é o assassino da pessoa contra quem dirige seus pensamentos. E está também cometendo suicídio porque esses pensamentos ricocheteam sobre você mesmo.

A mente cheia de maus pensamentos age como um pólo magnético que atrai pensamentos semelhantes de outros e assim intensifica o pecado original.

Maus pensamentos atirados na atmosfera mental envenenam outras mentes receptivas. Alimentar e conservar um mau pensamento aos poucos o despe de seu horror e impele o pensador a cometer um ato que o concretize.

14. OS PENSAMENTOS E AS ONDAS DO MAR.

Os pensamentos são como as ondas de um mar. São inúmeros. A princípio você pode ficar desesperado tentando dominá-los.

Alguns pensamentos são fáceis de afastar enquanto outros jorram como uma torrente. Os mesmos velhos pensamentos que você conseguiu certa vez afastar, podem voltar depois de algum tempo. Mas nunca desanime em qualquer estágio do treino. Porque, sem dúvida, vai adquirir força espiritual interior. E no fim tem que vencer. Todos os Iogues antigos encontraram as mesmas dificuldades que você está enfrentando no momento. O processo da destruição das modificações mentais é longo e difícil. Todos os pensamentos não podem ser destruídos em um ou dois dias. Mas não deve abandonar o treino de eliminação dos pensamentos no meio do processo quando tiver que enfrentar dificuldades, ou pedras no caminho.

Sua primeira tentativa deve ser a de diminuir seus desejos e o apego às coisas. Diminua-os e então os pensamentos por si mesmo diminuirão. E paulatinamente todos os pensamentos serão eliminados.

15. A COR E A INFLUÊNCIA DE PENSAMENTOS SANTOS.

Buda declarou: "Tudo o que somos é feito de nossos pensamentos." São eles que causam o processo da reencarnação. Por isso devemos sempre tentar purificar nossos pensamentos.

Quando procuramos e conseguimos nos aproximar de um sábio, sentimos uma calma maravilhosa; mas se estivermos em companhia de uma pessoa má e egoísta, nos sentiremos mal. Isto porque vibrações de calma e de paz emanam da aura do sábio, enquanto que da aura do egoísta e do mau sujeito emanam vibrações de pensamentos vis e egoístas.

O segundo efeito do pensamento é a criação de uma forma definida. A qualidade e a natureza de um pensamento determinam a cor e a clareza daquela forma de pensamento. Uma forma de pensamento é uma entidade viva e possui forte tendência para concretizar a intenção do pensador. Forma de pensamento azul denota devoção.

A forma de pensamento de renúncia de si é de um lindo azul pálido com uma luz branca que brilha através dela. As formas de pensamentos egoístas, orgulhosos e rancorosos são respectivamente marrom acinzentado, laranja e vermelho.

Estamos permanentemente cercados por essas formas de pensamento e nossas mentes ficam seriamente afetadas por elas.

Nem mesmo um quarto dos nossos pensamentos são puramente nossos mas sim captados na atmosfera. Na maioria são pensamentos maus. Por isso devemos sempre pronunciar mentalmente o nome de Deus. Isso nos protegerá contra as más influências.

16. A AURA E A DINÂMICA DE UMA MENTE DESENVOLVIDA.

Nós sentimos a manifestação de uma aura poderosa especialmente quando estamos perto de um poder do pensamento altamente desenvolvido.

Precisamos sublinhar a influência palpável de uma mente altamente desenvolvida sobre outra em nível inferior. Não é possível descrever o que significa estar na presença de um Mestre, ou um adepto desenvolvido.

Sentar perto dele, ainda que ele não diga quase nada, nos faz sentir uma sensação extraordinária e descobrir os impactos de novas inspirações que surgem em nossas mentes.

A mente possui aura — mental ou psíquica. Em sânscrito, aura é Tejas. É um brilho ou halo que emana do fenômeno da mente. Nós, que procuraram desenvolver totalmente suas mentes, vamos perceber que são extremamente brilhantes. Têm a capacidade de percorrer longas distâncias e de afetar, da maneira mais benéfica possível, um grande número de pessoas que gozam do privilégio de estar sob sua influência. Deve-se notar que a aura espiritual é muito mais poderosa do que a psíquica, ou do que a prânica ou do que a mental.

17. A DINÂMICA DOS PENSAMENTOS E O HUMOR.

As pessoas de mau humor atraem para si coisas más e maus pensamentos de outro se do registro Akásico no éter físico.

As pessoas com esperança, confiança e bom humor atraem pensamentos alheios de natureza semelhante. E sempre são bem sucedidas naquilo que tentam realizar.

As pessoas com um humor negativo de depressão, rancor, ódio, realmente prejudicam os outros. Contagiam os demais e fazem frutificar esses Vrittis destrutivos nos outros. São culpadas. Produzem enormes danos no mundo do pensamento.

As pessoas alegres e de bom humor são uma bênção para a sociedade. Espalham felicidade à sua volta.

Assim como uma jovem bonita esconde o rosto e não gosta de sair e encontrar outros quando uma ferida feia aparece na face ou no nariz, você também não deve sair nem procurar seus amigos ou conhecidos quando está em estado de depressão, ou sente ódio e inveja. Porque vai afetá-los. Será um verdadeiro perigo para a sociedade.

18. A DINÂMICA DO PENSAMENTO NO AMBIENTE UNIVERSAL.

O pensamento realmente sai da mente e paira fora do indivíduo. Quando um pensamento, bom ou mau, sai da mente de alguém produz vibrações no Manas, ou atmosfera mental, que partem para longe em todas as direções.

Também penetra nos cérebros dos outros. Um sábio que vive numa gruta no Himalaia pode transmitir um pensamento poderoso para um canto da América. Quem tenta se purificar numa gruta, está, de fato, purificando o mundo e ajudando-o de um modo geral. Ninguém pode impedir que seus pensamentos puros saiam e sejam transmitidos aos que realmente os desejam.

Assim como o sol permanentemente converte em vapor cada gota d'água na face da terra e assim como todo o vapor sobe e vai-se agrupando em forma de nuvens, todos os pensamentos que você projeta do seu pequenino canto, subirão para serem levados através do espaço e se juntar a pensamentos semelhantes de gente parecida com você e, por fim, todos esses pensamentos sublimes voltarão, com enorme força, para baixo e subjugarão forças indesejáveis.

## Capítulo Terceiro

## O VALOR E OS USOS DO PODER DO PENSAMENTO

1. SIRVA OS OUTROS POR VIBRAÇÕES DO PENSAMENTO.

Um verdadeiro monge ou Saniasin pode fazer tudo através de suas vibrações mentais. Um Saniasin ou Iogue não precisa tornar-se o Presidente de alguma Sociedade ou o líder de um movimento social ou político. Isso seria bobo e pueril.

Os hindus tendo agora absorvido o espírito missionário do Ocidente clamam em prol dos Saniasins saírem de seu isolamento e tomarem parte nas atividades sociais e políticas. Triste erro!

Não há necessidade de um Saniasin, de um santo subir no palanque para ajudar o mundo pregando e elevando as mentes dos homens.

Alguns santos usam o exemplo como pregação. Suas vidas são a própria encarnação de um ensino. Milhares de mentes se elevam unicamente ao vê-los.

Para os outros um santo é a afirmação viva da compreensão de Deus. Muitos se inspiram ao ver os santos.

Ninguém pode avaliar as vibrações dos pensamentos dos santos. Suas vibrações de pensamento, puras e fortes, atravessam longas distâncias, purificam o mundo e penetram nas mentes de milhares de pessoas. Isto é indubitável.

2. OS MÉDICOS PODEM CURAR PELA SUGESTÃO.

Os médicos deveriam ter um conhecimento profundo da ciência da sugestão. São raros os médicos sinceros e compassivos. Os que não possuem o conhecimento da sugestão fazem mais mal do que bem. Às vezes matam seus pacientes quando os assustam desnecessariamente.

Alguém pode estar com uma tosse bastante comum e o médico diz: "Meu amigo você está tuberculoso. Precisa ir para Bhowali ou para a Suíça, ou Viena. Precisa tomar uma série de injeções de tuberculina." O pobre paciente se assusta. Não existe nenhum sinal de tísica. O caso é muito simples. Não passa de um catarro no peito proveniente de vários resfriados. Mas o paciente acaba contraindo a tuberculose por causa do medo e da preocupação que lhe deram as sugestões destrutivas do médico.

Este deveria ter-lhe dito: "Ora, isso não é nada. Um simples resfriado. Amanhã já estará bom. Tome um purgante e faça inalações de óleo de eucalipto. Tome cuidado com o que come. E hoje é melhor que jejue." Um médico assim é o próprio Deus. Deve ser adorado.

É possível que o médico diga: "Mas se eu fizer isso vou perder os clientes. E ficarei sem meios de sobreviver." É um engano. A verdade sempre vence. Se você for compassivo e bom as pessoas o procurarão. Sua clientela crescerá enormemente.

Existe a cura pela sugestão. É um tratamento sem medicamentos. Chama-se terapêutica da sugestão. Com sugestões boas e fortes pode-se curar qualquer moléstia. Terá que aprender essa ciência e pô-la em prática. Todos os médicos alopatas, homeopatas, aiuvérdicos e do sistema Unani deveriam estudar essa ciência. Podem utilizá-la junto com seus próprios métodos. E terão enorme clientela em conseqüência disso.

3. OS IOGUES PREGAM POR TRANSMISSÃO DE PENSAMENTO.

Os verdadeiros Iogues desconhecidos auxiliam mais o mundo através de suas vibrações espirituais e aura magnética do que os 'Iogues' do palanque. Pregam de um púlpito ou de um palanque apenas aqueles cujo nível espiritual é menor, que não possuem conhecimentos e nunca souberam fazer uso das faculdades e forças supranormais latentes neles próprios.

Os grandes estudiosos e Mahatmas transmitem suas mensagens a aspirantes dignos delas, em qualquer canto do mundo, através da telepatia. Os meios de comunicação que para nós são supranormais, para um Iogue são absolutamente normais.

4. INFLUENCIE OUTROS PELO PENSAMENTO.

Você pode influenciar outra pessoa sem usar a palavra falada. Precisa apenas de concentração de pensamento dirigida pela vontade. Isto é telepatia.

Aqui está um exercício para a prática da telepatia. Pense num amigo ou primo que mora num lugar distante. Estabeleça na mente uma imagem clara de seu rosto. Se possuir uma fotografia dele, olhe e fale para ela. Quando se deitar pense com grande concentração na foto. Um ou dois dias depois ele lhe escreverá a carta desejada. Experimente. Não duvide. Terá uma surpresa.

Você se convencerá totalmente e obterá sucesso na ciência da telepatia. De vez em quando, quando estiver ocupado em escrever algo ou em ler o jornal, receberá uma mensagem de uma pessoa íntima ou querida. De repente pensará nela. Ela lhe enviou uma mensagem. Pensou seriamente em você.

As vibrações do pensamento viajam mais depressa do que a luz ou a eletricidade. Nessas ocasiões o subconsciente recebe as mensagens ou transmissões e as envia ao consciente.

5. AS VÁRIAS UTILIDADES DO PODER DO PENSAMENTO.

A ciência do poder do pensamento é muito interessante e sutil. Esse mundo do pensamento é relativamente mais real do que o universo físico.

O poder do pensamento é enorme. Cada um de seus pensamentos tem para você um valor literal em todos os sentidos. Sua força física, sua força mental, seu sucesso na vida e o prazer que sua companhia dá a outros — tudo depende da natureza e qualidade de seus pensamentos. Você precisa aprender o cultivo do pensamento e desenvolver o poder do pensamento.

6. O VALOR DOS PODERES DO PENSAMENTO.

Se você possuir um bom conhecimento do funcionamento das vibrações do pensamento, se adquirir a técnica de controlar os pensamentos, se souber a maneira de transmitir a pessoas distantes pensamentos benéficos formando ondas de pensamento claras, bem definidas pode usar o poder do pensamento de modo extremamente eficaz. O pensamento realiza milagres.

Um mau pensamento escraviza. Um bom pensamento liberta. Portanto pense direito e consiga libertar-se. Desenvolva, pelo entendimento e compreensão dos poderes da mente, as forças ocultas no seu inconsciente. Feche os olhos. Faça uma concentração lenta. Poderá ver objétos distantes, ouvir sons longínquos, enviar mensagens não só a qualquer parte deste mundo mas também a outros planetas, curar pessoas a milhas de distância e movimentar-se em lugares remotos.

Acredite nos poderes da mente. O resultado desejado será obtido pelo interesse, atenção, vontade, fé e concentração. Lembre-se de que a mente nasceu do Atma através de Seu Maia ou Poder Ilusório.

7. OS PENSAMENTOS REALIZAM VÁRIAS MISSÕES.

Você pode ajudar um amigo em dificuldades transmitindo do lugar onde está pensamentos consoladores. Pode ajudar um amigo em busca da Verdade com pensamentos claros e definidos das verdades que você conhece.

Pode enviar para a atmosfera mental pensamentos que elevarão, purificarão e inspirarão todos o que a eles forem sensíveis.

Se mandar um pensamento de amor e de auxílio para outra pessoa, este sairá de seu cérebro, irá diretamente até a dita pessoa e lhe estimulará um pensamento semelhante na mente, depois voltará a você com força redobrada.

Se enviar um pensamento de ódio este prejudicará não só a pessoa visada como também a você pois voltará para si com força redobrada.

Portanto compreenda as leis do pensamento, cultive apenas pensamentos de misericórdia, de amor e de bondade e seja sempre feliz.

Quando enviar um pensamento útil para ajudar outros, ele precisa ter um objetivo positivo e definido. Só então poderá obter o resultado desejado. Só então esse pensamento cumprirá sua verdadeira função.

8. O PODER DOS PENSAMENTOS QUE INFLUENCIAM.

Compreenda claramente o que é sugestão e seus efeitos sobre a mente. Deve ter muito cuidado na maneira como usa sugestões.

Nunca sugira algo errado que possa produzir resultados destrutivos em alguém. Você o estará prejudicando enormemente. Pense bem antes de falar.

Os professores e mestres deveriam todos conhecer a fundo a ciência da sugestão e da auto-sugestão. Então saberiam educar e aprimorar os estudantes de maneira eficiente.

No sul da Índia quando as crianças choram os pais as assustam dizendo: "Olhe aqui, Balu! Irendukannan (o bicho papão) está por perto. Se não ficar quieto entrego você a ele." "Puchandi (ou fantasma) chegou", e sugestões desse tipo são muito prejudiciais. A criança fica cheia de temores.

As mentes infantis são impressionáveis, tenras e maleáveis. Nessa idade os Samskaras ficam indelevelmente marcados. Quando crescem, torna-se impossível mudar ou apagar os Samskaras. Quando a criança fica adulta demonstra timidez.

Os pais devem inculcar coragem na mente de seus filhos. Precisam dizer: "Aqui está um leão. Veja o leão neste desenho. Ruja como um leão. Seja corajoso. Olhe só os retratos de Sivaji, Ariuna ou Clive. Torne-se cavalheiresco."

No Ocidente os professores mostram às crianças quadros de batalhas e dizem: "Repare nisto, James! Veja este retrato de Napoleão. Estude a sua coragem. Será que você não gostaria de se tornar um Comandante-em-chefe do exército ou um general?" Infundem coragem nas mentes das crianças desde a mais tenra infância. Quando elas crescem estes Samskaras são fortalecidos por estímulos externos adicionais.

9. PRATIQUE A TRANSMISSÃO DE PENSAMENTO.

No começo pratique a telepatia a curta distância. Logo no início é melhor fazê-lo à noite.

Peça a seu amigo para tomar uma atitude receptiva e concentrar-se às dez da noite. Sugira que ele se sente em Vajrasana ou Padmasana, de olhos fechados, num quarto escuro.

Tente enviar sua mensagem exatamente na hora marcada. Concentre-se nos pensamentos que quer enviar. Use de toda a energia de sua vontade. Os pensamentos sairão de seu cérebro e penetrarão no de seu amigo.

No começo poderá cometer alguns erros. Quando adquirir mais prática e souber melhor a técnica conseguirá sempre enviar e receber as mensagens corretas.

Mais tarde será capaz de enviar mensagens a diferentes partes do mundo. As ondas de pensamento variam em intensidade e força. Tanto o transmissor quanto o receptor devem praticar grande e intensa concentração. Então existirá força na transmissão e clareza e exatidão na recepção das mensagens. No começo pratique a telepatia de um quarto para outro ao lado, na mesma casa.

Esta ciência é agradável e interessante. Requer prática paciente. Brahmacharya é essencial.

10. A PARAPSICOLOGIA E OS PENSAMENTOS SUBCONSCIENTES.

Assim como o Ganges sagrado se origina em Gangotri no Himalaia, e corre permanentemente para o Ganga Sagar, as correntes de pensamento nascem na cama dos Samskaras (impressões) nas camadas interiores da mente, onde se acham incrustados os Vasanas ou desejos latentes sutis e fluem incessantemente para os objetos enquanto a pessoa está acordada ou mesmo dormindo. Quando as rodas de um motor de locomotiva ficam super aquecidas, este é enviado para um barracão para um descanso; mas o misterioso motor da mente trabalha sem um minuto de repouso.

A prática da telepatia, de ler pensamentos alheios, do hipnotismo, do mesmerismo e da cura espiritual provam claramente que a mente existe e que a mente mais alta pode influenciar e subjugar a mente mais baixa. Podemos inferir claramente da escrita automática e das experiências com pessoas sob hipnose a existência da mente subconsciente que trabalha 24 horas sobre 24. Mude os pensamentos e a mente subconsciente com o Sadhana espiritual e transforme-se num novo ser.

11. O PODER DOS PENSAMENTOS VIGOROSOS E DIVINOS.

O pensamento é vida. Você é o que pensa. Seu pensamento cria o seu ambiente. Seus pensamentos constroem o seu mundo.

Se cultivar pensamentos saudáveis, permanecerá saudável. Se alimentar na mente pensamentos doentios, de tecidos deteriorados, de nervos fracos, de mau funcionamento de seus órgãos internos não pode esperar gozar de boa saúde, de beleza e de harmonia.

Lembre-se de que o corpo é um produto da mente e encontra-se sob o controle da mente.

Se cultivar pensamentos vigorosos, seu corpo também será vigoroso. Pensamentos de amor, de paz, de contentamento, de pureza, de perfeição, de Divindade farão você e outros à sua volta perfeitos e divinos. Cultive pensamentos divinos.

## Capítulo Quarto

## AS FUNÇÕES DO PODER DO PENSAMENTO

1. OS PENSAMENTOS PRODUZEM BOA SAÚDE.

O corpo está associado internamente com a mente, ou melhor, é a exteriorização da mente; uma forma visível e grosseira da mente invisível e sutil. Se houver dor de dente, ou de estômago ou de ouvido, a mente fica imediatamente afetada. Deixa de pensar claramente; torna-se agitada e perturbada.

Se houver depressão mental o corpo também não pode funcionar direito. As dores que afligem o corpo são chamadas de moléstias secundárias, *Vyadhi,* enquanto que os Vasanas ou desejos que afligem a mente são cognominados de mentais ou principais, *Adhi.*

A saúde mental é mais importante do que a física. Se a mente for saudável, o corpo será necessariamente saudável. Se a mente for pura, se os seus pensamentos forem puros, você estará livre de todas as moléstias, principais e secundárias. *"Mens sana in corpore sano* — uma mente sã num corpo são."

2. OS PENSAMENTOS DESENVOLVEM A PERSONALIDADE.

Um pensamento sublime eleva a mente e dá expansão ao coração; um pensamento vil excita a mente e torna os sentimentos mórbidos e negros.

Aqueles que possuem um pequeno controle sobre seus pensamentos e suas palavras terão um rosto calmo, sereno, belo e encantador, uma voz doce e seus olhos serão brilhantes e límpidos.

3. OS PENSAMENTOS AFETAM O CORPO.

Cada pensamento, emoção ou palavra produz uma forte vibração em cada célula do corpo e deixa nelas uma impressão marcante.

Se conhecer o método de criar pensamentos opostos poderá levar uma vida feliz e harmoniosa de paz e poder. Um pensamento de amor neutralizará imediatamente um pensamento de ódio. Um pensamento de coragem servirá instantaneamente de poderoso antídoto para um pensamento de medo.

4. O PODER DO PENSAMENTO MUDA O DESTINO.

O homem semeia um pensamento e colhe uma ação. Semeia um ato e colhe um hábito. Semeia um hábito e colhe um caráter. Semeia um caráter e colhe um destino.

O homem cria o seu próprio destino pelo seu modo de pensar e de agir. Pode mudar seu destino. Ele é senhor de seu próprio destino. Sobre isto não existem dúvidas. Pensando certo e esforçando-se de fato, pode-se tornar senhor de seu destino.

Gente ignorante diz: "O carma faz tudo. Tudo é destino. Se fui destinado pelo meu carma a ser assim ou assado por que então me esforçar? Esse é simplesmente o meu destino."

Isto chama-se fatalismo. Traz como conseqüência a inércia, a estagnação e a miséria. É uma incompreensão total das leis do Carma. Não passa de sofisma. Um homem inteligente certamente não falará assim. Você criou o seu próprio destino interiormente pelos seus pensamentos e pelas suas ações.

Você é dotado de livre arbítrio para escolher no momento presente. Possui Svatantrata ativa. Um canalha não será eternamente um canalha. Coloque-o na companhia de um santo. Ele mudará rapidamente. Ele pensará e agirá de modo diferente e mudará o seu destino. Seu caráter se santificará.

Dacoit Ratnakar transformou-se no Sábio Valmiki. Jagai e Madai se modificaram. Eram canalhas totais. Você pode se tornar um Iogue ou um Jnani. Pode refazer o seu destino. Pode criar seu Carma da maneira que lhe agradar. Use o Poder do Pensamento. Pense corretamente, pense nobremente. Terá apenas que pensar e que agir. Pensando, desejando e agindo corretamente pode tornar-se um Sábio, um milionário. Pode atingir

*45*

a posição de Indra ou de Brama por bons pensamentos e ações, por bom Karma. O homem não é um ser indefeso. Cada um de nós possui livre arbítrio.

5. OS PENSAMENTOS CAUSAM DISTÚRBIOS FISIOLÓGICOS.

Qualquer mudança de pensamento produz uma vibração no seu corpo mental e isto, quando transmitido para o corpo físico, causa uma atividade nas células nervosas de seu cérebro. Esta atividade nas células nervosas provoca nelas muitas mudanças elétricas e químicas. Foi a atividade do pensamento a causa dessas mudanças.

Paixão intensa, ódio, inveja amarga e antiga, ansiedade corrosiva, explosões de raiva, realmente destroem as células do corpo e produzem moléstias do coração, do fígado, dos rins, do pâncreas e do estômago.

Um ponto importante a ser notado cuidadosamente é que cada célula do corpo sofre ou cresce, recebe um impulso de vida ou de morte de cada pensamento que penetra na mente, pois tendemos a nos tornar a imagem daquilo em que mais pensamos.

Quando a mente se volta para um pensamento determinado e o alimenta, uma precisa vibração de matéria é ativada e freqüentemente, quanto mais esta vibração for provocada tanto mais ela tenderá a se repetir e a se tornar um hábito, isto é, a ficar automática. O corpo segue a mente e imita suas mudanças. Se você concentrar seu pensamento, seus olhos ficarão fixos.

6. O PODER DO PENSAMENTO CRIA AMBIENTES.

Ouve-se dizer com freqüência que o homem é o resultado das forças ambientais que o cercam. Não é verdade. Não podemos acreditar nisto porque os fatos estão sempre provando o contrário. Muitos dos maiores homens do mundo nasceram na pobreza e em circunstâncias adversas.

Muitos homens nascidos em cortiços e ambientes de total miséria e sujeira chegaram a ocupar os postos mais altos no mundo. Conquistaram os louros da fama e distinguiram-se na política, na literatura e na poesia. Tornaram-se grandes gênios e grandes líderes. Como explicar isto?

Sri T. Muthuswamy Aiyar, o primeiro juiz hindu do Supremo Tribunal em Madras nasceu na mais abjeta pobreza. Teve que estudar à noite debaixo dos lampiões municipais. Não se alimentava o suficiente. Vestia trapos. Lutou contra terríveis obstáculos e atingiu a grandeza de seu cargo. Elevou-se acima das forças ambientais por uma vontade de ferro e uma determinação inabalável.

No Ocidente, filhos de sapateiros e de pescadores atingiram altas posições. Engraxates, meninos que serviam cerveja nos bares ou ajudavam nas cozinhas de hotéis tornaram-se poetas famosos e ótimos jornalistas.

Johnson veio de um ambiente péssimo. Goldsmith considerou-se rico quando foi pago "40 libras por ano". Sir Walter Scott era muito pobre. Não tinha nem onde morar. Vale a pena mencionar a vida de James Ramsay Macdonald. Foi um homem de grande Purushartha. Saiu da pobreza para o poder — da condição de operário para o *status* de Primeiro-Ministro da Grã Bretanha. Seu primeiro emprego foi endereçar envelopes recebendo o salário de meia libra por semana.

Pobre demais para comprar chá ele bebia água. Sua refeição principal foi, durante meses a fio, um bolinho com um pouco de carne que custava três tostões. Foi autodidata. Interessou-se enormemente por política e pela ciência. Tornou-se um jornalista. Lentamente, através do esforço certo (Purushartha) atingiu o posto de Primeiro-Ministro.

Sri Sankaracharya, o expoente da filosofia Advaita, um gigante espiritual e um gênio brilhante, nasceu pobre, em ambiente e circunstâncias desfavoráveis. Existem mil e um exemplos iguais a estes. É óbvio, pois, que ambientes desfavoráveis não podem anular a grandeza e superioridade de futuros gênios, e que o ambiente pode ser superado pela aplicação, paciência, perseverança, sinceridade, honestidade, integridade, clareza a respeito do objetivo em vista, vontade de ferro e determinação.

Todo homem nasce com os seus Samskaras. A mente não é uma *tabula rasa* ou uma folha branca de papel. Contém as impressões dos pensamentos e dos atos das vidas anteriores. Os Samskaras são os potenciais latentes. Os bons Samskaras são vantagens valiosas para o homem. Ainda que jogado num ambiente desfavorável, esses Samskaras o protegerão contra influências estranhas, indesejáveis e hostis. Ajudam seu crescimento e evolução.

Não perca nenhuma oportunidade. Use todas elas. Cada oportunidade é dada para a sua elevação e desenvolvimento. Se encontrar um homem doente deitado na estrada incapaz de se mexer, carregue-o nos ombros, ou no seu veículo, até o hospital mais próximo. Cuide dele. Dê-lhe leite quente ou chá ou café. Lave suas pernas com Bhava Divina.

Procure sentir nele Deus que penetra, permeia e habita em tudo o que existe. Veja a divindade no brilho de seus olhos, nos seus lamentos, no seu hálito, na pulsação e movimento de seus pulmões.

Deus lhe deu essa oportunidade para que você desenvolva a misericórdia e o amor, para purificar seu coração e remover Ghrina, ódio e inveja. Algumas vezes, se você é muito tímido, Deus o colocará em circunstâncias tais que será forçado a mostrar coragem e presença de espírito arriscando a vida. As grandes figuras que galgaram a eminência usaram todas as oportunidades da melhor maneira. Deus forma as mentes dos seres humanos dando-lhes oportunidades.

Lembre-se de que a força reside exatamente em sua fraqueza pois estará sempre alerta para se salvaguardar. A pobreza possui as suas próprias virtudes. Ela infunde humildade, força e capacidade de agüentar as dificuldades enquanto que o luxo cria a preguiça, o orgulho, a fraqueza, a inércia e toda espécie de maus hábitos.

Portanto não reclame de ambientes desfavoráveis. Crie o seu próprio mundo e ambientes mentais. O homem que tenta desenvolver-se ou crescer em ambientes adversos será realmente um homem muito forte. Nada o abalará. Será um sujeito rijo. Terá nervos fortes.

Na verdade o homem não é o fruto de ambientes e circunstâncias. Ele pode controlá-los e modificá-los por suas capacidades, caráter, pensamentos, boas ações e esforço correto (Purushartha). Tivra (intenso) Purushartha pode mudar um destino. É por isso que Vasishtha e Bhishma colocam Purushartha acima do destino. Portanto, caros irmãos! Esforcem-se. Conquistem a natureza e rejubilem-se no eterno Satchidananda Atma.

## 7. OS PENSAMENTOS FORMAM O CORPO FÍSICO.

O corpo com seus órgãos nada mais é do que pensamento. A mente contemplando o corpo torna-se o próprio corpo e, então, emaranhado nele é por ele afetado.

Este corpo físico é, por assim dizer, o molde feito pela mente para se satisfazer, para jorrar suas energias e assim adquirir diversas experiências deste mundo através dos cinco caminhos ou canais do conhecimento, os cinco Jnana-Indryas (órgãos do conhecimento ou percepção). Na realidade, o corpo é os nossos pensamentos, estados de ânimo, convicções e emoções concretizados, tornados visíveis ao olho nu.

Todos os corpos têm a sua sede apenas na mente. Existirá um jardim sem água?

É na mente que tudo acontece e ela é o mais alto dos corpos. Caso este corpo grosseiro se dissolva, a mente com grande presteza encontrará novos corpos que lhe agradem. Se a mente ficar paralisada o corpo não demonstrará inteligência.

Na maioria da humanidade o corpo exerce forte controle sobre o pensamento. Possuindo mente pouco desenvolvida vive principalmente em Annamaya Kosa. Desenvolva o Vijnanamaya Kosa e através de Vijnanamaya Kosa (Buddhi) controle o Manomaya Kosa (mente).

A base de todos os males é a idéia errada de que você é um corpo. Através de pensamentos errados, identifica-se com o corpo. Aparece Dehadhyasa. Você fica preso ao corpo. Isto se chama Abhimana. Então vem Mamata (egocentrismo). Você se identifica com sua mulher, seus filhos, sua casa, etc. A identificação ou apego cria a servidão, a miséria, a dor.

## Capítulo Quinto

## O DESENVOLVIMENTO DO PODER DO PENSAMENTO

1. A AQUISIÇÃO DO PODER DO PENSAMENTO PELA PUREZA MORAL.

Um homem que diz a verdade e possui pureza moral sempre tem pensamentos fortes. Aquele que, por longa prática controlou a ira, possui enorme poder de pensamento.

Se um Iogue de pensamento realmente poderoso pronuncia uma palavra, esta produzirá tremenda impressão na mente de outros.

Virtudes como a sinceridade, a seriedade e a aplicação são as melhores fontes de poder mental. A pureza leva à sabedoria e à imortalidade. Existem dois tipos de pureza — a interna ou mental e a externa ou física.

A pureza mental é a mais importante. A pureza física também é necessária. Estabelecendo-se a pureza mental interna, a alegria mental, a mente dirigida para um determinado fito, obtêm-se a conquista dos Indriyas e a capacidade de realização do próprio Eu.

2. O PODER DO PENSAMENTO PELA CONCENTRAÇÃO.

Não existe limite para o poder do pensamento humano. Quanto mais concentrada estiver a mente maior poder será aplicada num determinado ponto.

Os raios da mente ficam difusos no caso de pessoas fúteis. Dá-se uma dissipação, em várias direções, de energia mental. Para atingir o objetivo da concentração, esses raios difusos têm que ser congregados pela prática da concentração e então a mente precisa voltar-se para Deus.

Se cultivar a atenção conseguirá boa concentração. A mente serena está preparada para a concentração. Mantenha sua mente serena. Seja sempre alegre. Só assim conseguirá concentrar-se. Mantenha regularidade no exercício da concentração. Sente-se sempre no mesmo lugar, à mesma hora, 4 da manhã.

Celibato, Pranayama, diminuição de desejos e de atividades, distanciamento de paixões, silêncio, solidão, disciplina dos sentidos, Japa, controle da ira, deixar de ler romances, jornais e de ir ao cinema, tudo isso auxilia a concentração.

Exercícios físicos exagerados, muita conversa, comer demais, procurar continuamente a companhia de pessoas fúteis, andar demais, muita atividade sexual, são todos obstáculos para a concentração.

3. O PODER DO PENSAMENTO ATRAVÉS DA ORGANIZAÇÃO DOS PENSAMENTOS.

Acabe com pensamentos esparsos. Tome um assunto e pense sobre suas diferentes facetas e importância. Quando fizer esse exercício sobre um tema não permita que qualquer outro pensamento penetre na mente. Leve-a sempre de volta ao ponto em questão.

Por exemplo, comece a pensar na vida e nos ensinamentos de Jagadguru Adi Sankaracharya. Pense no lugar onde ele nasceu, na sua infância, seu caráter, sua personalidade, suas virtudes, seus ensinamentos, seus livros, sua filosofia, algumas das coisas importantes que expressou em suas obras ou Slokas, os Siddhis que demonstrou de tempos em tempos, seu Digvijaya, seus quatro discípulos, seus quatro Mutts, seus comentários sobre o Gita, os Upanishads e os Brama Sutras. Pense em cada um desses itens e nessa seqüência. Extraia tudo de cada um. Freqüentemente alerte a mente para cada ponto. Depois escolha outro assunto.

Com esse exercício você desenvolverá um método de pensar. As imagens mentais adquirirão enorme força e intensidade. Tornar-se-ão claras e definidas. Nas pessoas comuns as imagens mentais são deformadas e indefinidas.

## 4. O PODER DO PENSAMENTO PELA FORÇA DE VONTADE.

Cada pensamento sensual que é rejeitado, cada tentação que é resistida, cada palavra agressiva que é suprimida, cada aspiração nobre que é èncorajada, o ajuda a desenvolver sua força de vontade ou força da alma e o levará cada vez mais perto do Objetivo.

Repita mentalmente e com grande força: "Minha vontade é forte, pura e irresistível. OM OM OM. Com a minha vontade posso fazer tudo. OM OM OM. Possuo uma vontade invencível. OM OM OM."

A vontade é a força dinâmica da alma. Quando opera, todos os poderes mentais tais como o poder de julgamento, o poder da memória, o poder do entendimento, o poder de expressão, o poder do raciocínio, o poder de discernimento, o poder de reflexão e dedução — todos eles começam a funcionar.

A vontade é o rei dos poderes mentais. Quando ela se torna pura e irresistível, o pensamento e a vontade podem realizar milagres. A vontade se torna impura e fraca através de paixões vulgares, de amor pelos prazeres e de desejos. Quanto menos desejos houver mais forte será o poder do pensamento e da vontade. Controla-se a energia sexual e a muscular, a raiva, etc. quando transformadas em força de vontade. Neste mundo nada é impossível para um homem de verdadeira força de vontade.

Quando você quebra o velho hábito de beber café, de certa maneira controlou o sentido do paladar, destruiu um Vasana e eliminou o desejo pelo café. Libertando-se do esforço de conseguir o café e também do hábito de tomá-lo, obterá uma certa paz. A energia inerente ao desejo relativo ao café, que o perturbou, se converterá em força de vontade. Dominando esse desejo você adquire força de vontade; se dominar cerca de quinze desejos semelhantes sua força de vontade será quinze vezes mais forte e mais poderosa. E este domínio, dando-lhe força de vontade vai também ajudá-lo a dominar outros desejos.

Estado mental tranqüilo, equilíbrio, alegria, força interior, capacidade de realizar trabalhos difíceis, sucesso em tudo o que tentar fazer, o poder de influenciar outras pessoas, uma personalidade magnética e dinâmica, aura magnética no rosto, olhos brilhantes, olhar firme, voz possante, atitude magnânima, temperamento forte, coragem, etc. são alguns dos sinais ou sintomas que indicam que a vontade de um indivíduo está crescendo.

5. RECEITAS SIMPLES PARA PENSAR CLARAMENTE.

As imagens mentais do homem comum são, em geral, muito destorcidas. Ele desconhece o pensamento profundo. Seus pensamentos são caóticos. Algumas vezes há grande confusão em sua mente.

Somente os pensadores, os filósofos e os Iogues possuem imagens mentais bem definidas e claras. A clarividência prova isto cabalmente. Aqueles que praticam a concentração e a meditação desenvolvem imagens mentais fortes e bem formadas.

A maioria dos seus pensamentos não possuem uma base firme. Eles aparecem e somem. Por isso são vagos e indefinidos. As imagens não são claras, fortes e bem definidas.

Você terá que reforçá-los por uma maneira de pensar clara, contínua e profunda. Terá que estabilizar os pensamentos e cristalizá-los numa forma precisa pelo Vichara, raciocínio, Manana ou reflexão profunda e meditação. Aí então a idéia filosófica ficará firme.

Terá que esclarecer suas idéias usando pensamentos corretos, raciocínio, introspecção e meditação. A confusão, então, desaparecerá. Os pensamentos se assentarão e se firmarão.

Pense com clareza. Repetidamente esclareça suas idéias. Faça introspecção na solidão. Purifique seus pensamentos em alto grau. Silencie os pensamentos.

Não permita que a mente borbulhe. Deixe que uma onda de pensamento surja e se estabeleça calmamente. Aí então aceite o aparecimento de outro pensamento. Afaste todos os pensamentos estranhos que não têm relação com o assunto que você está encarando nesse momento.

6. SADHANA PARA UMA MANEIRA PROFUNDA E ORIGINAL DE PENSAR.

A maioria entre nós não sabe o que é pensar corretamente. Pensar, para a grande maioria, é uma coisa superficial. Poucos têm pensamentos profundos. Neste mundo são muito poucos os pensadores.

O pensamento profundo exige Sadhana (prática) intenso. São necessárias inúmeras encarnações para uma real evolução da mente. Só então ela pode pensar profunda e corretamente.

Os Vedantins sabem usar o pensamento independente e original. O Vedantic Sadhana (Manana, reflexão) necessita de agudeza de intelecto.

Pensar intensa, persistente e claramente e pensar até chegar às raízes dos problemas, aos fundamentos de uma situação, aos verdadeiros conceitos de todos os pensamentos e do próprio ser é, de fato, a essência do Vedantic Sadhana.

Você terá que abandonar uma velha concepção, por mais antiga que seja e arraigada que esteja, do momento em que receber uma nova idéia que o eleve.

Se não tiver coragem de encarar os resultados de seu raciocínio, de aceitar as conclusões de seus pensamentos o que quer que, pessoalmente, representem para você, nunca se ponha a filosofar. Volta-se para a devoção.

7. A MEDITAÇÃO PARA PENSAR COM APLICAÇÃO E CONTINUIDADE.

Sendo uma enorme força o pensamento possui um poder tremendo. É um assunto crucial saber como usar este poder da maneira mais elevada para obter os maiores efeitos possíveis. A melhor maneira de fazê-lo é praticar a meditação.

O pensamento aplicado concentra a mente no objeto e o pensamento contínuo a mantém nessa atividade; o êxtase leva a mente em desenvolvimento e cujos motivos para não se distrair já foram dominados por essas duas espécies de pensamento, a se expandir e à bem-aventurança.

A meditação funciona quando o pensamento aplicado e contínuo, o êxtase, a bem-aventurança e o controle da mente existem.

8. ADQUIRA PODER DE PENSAMENTO CRIATIVO.

O pensamento é uma força vital e viva — a força mais vital, sutil e irresistível em todo o universo.

Os pensamentos são coisas vivas; movimentam-se; possuem forma, estrutura, cor, qualidade, substância, poder e peso.

O pensamento é a verdadeira ação; revela-se como força dinâmica.

Um pensamento de alegria cria conseqüentemente um pensamento de alegria nos outros. Quando surge um pensamento nobre ele serve de antídoto potente para contrabalançar um mau pensamento.

Se nos exercitarmos a pensar positivamente vamos adquirir poder criativo.

9. DESENVOLVA O INDIVIDUALISMO: RESISTA A SUGESTÕES.

Não se deixe influenciar facilmente pelas sugestões alheias. Possua o seu próprio sentido de individualidade. Uma sugestão forte, ainda que não influencie de imediato o sujeito visado, vai operar com o passar do tempo. Nunca é feita em vão.

Todos nós vivemos num mundo de sugestões. O nosso caráter é inconsciente e diariamente modificado pela associação com outras pessoas.

Inconscientemente imitamos os atos daqueles que admiramos. Diariamente absorvemos as sugestões dos que nos cercam na vida cotidiana. Essas sugestões agem sobre nós. Um homem de mente fraca cede às sugestões de um indivíduo de mente forte.

Um empregado está sempre sob a influência das sugestões de seu patrão; a mulher das de seu marido; o paciente das de seu médico; o estudante das de seu professor.

Os costumes nada mais são do que o produto de sugestões. A roupa que você veste, seus modos, seu comportamento e até o alimento que come são todos, e nada mais do que o resultado de sugestões.

A natureza sugere de várias maneiras. Os rios que correm, o sol que brilha, as flores que perfumam, as árvores que crescem, tudo, incessantemente, nos faz sugestões.

10. PODERES SUPRANORMAIS PELA DISCIPLINA DO PENSAMENTO.

Um praticante poderoso de ocultismo consegue hipnotizar o público de um teatro cheio com sua vontade e poder de concentração e assim executa o truque da corda. Joga uma corda vermelha no ar, sugere aos espectadores que subirá pela corda e no piscar de um olho desaparece do palco como se tivesse subido para o espaço. Mas quando o incidente é fotografado verifica-se que ele não subiu pela corda.

Tome conhecimento e compreenda os poderes do pensamento. Desenvolva os poderes e faculdades escondidas ou ocultas. Feche os olhos. Concentre-se. Comece a explorar as regiões mais altas da mente.

Você poderá ver objetos distantes, ouvir vozes longínquas, enviar mensagens a lugares remotos, curar pessoas que estão muito longe de onde você se encontra e movimentar-se em outras terras e países num abrir e fechar d'olhos.

Capítulo Sexto

## OS PENSAMENTOS — SUA VARIEDADE E SEU DOMÍNIO

1. SUPERE OS PENSAMENTOS DEPRIMENTES.

Observe muito cuidadosamente todos os seus pensamentos. Suponhamos que você se torne presa de pensamentos tristes. Vai sentir depressão. Tome uma pequena xícara de leite ou de chá. Sente-se calmamente. Feche os olhos. Procure encontrar a causa da depressão e tente removê-la.

O melhor método para superar pensamentos tristes e a depressão conseqüente é procurar pensamentos inspiradores sobre coisas inspiradoras. Lembre-se, de novo, que o positivo supera o negativo. Esta é uma das grandes e eficientes leis da natureza.

Agora pense firmemente em coisas opostas, no oposto da tristeza. Pense em coisas que elevam sua mente; pense em alegria. Imagine as vantagens da alegria. Sinta que você realmente possui essa qualidade.

Repita várias vezes a fórmula: *On Alegria,* mentalmente. Sinta "Eu sou muito alegre". Comece a sorrir e a rir seguidamente.

Cante: muitas vezes o canto pode mudar rapidamente o seu estado de ânimo. Cantar é muito benéfico para espantar a tristeza. Cante OM uma porção de vezes e em voz alta. Dê uma corrida ao ar livre. A depressão desaparecerá depressa. Isto chama-se o Pratipaksha Bhavana, um método da Raja Ioga. E é o método mais fácil.

O método de afastar a tristeza pela força — pela vontade, por asseverações, por ordens — sobrecarrega muito a "vontade" ainda que seja o método mais eficiente. Exige enorme força de vontade. As pessoas comuns não conseguirão fazê-lo. Mas afastar, deslocar o sentimento negativo substituindo-o pelo oposto, o sentimento positivo, é muito fácil. Dentro de pouco tempo os sentimentos indesejáveis desaparecem. Pratique este método e sinta seus efeitos. Mesmo que muitas vezes não obtenha sucesso, continue. Persista.

Você pode tratar da mesma forma outros pensamentos e sentimentos negativos. Quando ficar com raiva, pense em amor. Se tiver pensamentos de inveja, pense nas vantagens da caridade e da magnanimidade. Quando surgirem os pensamentos deprimentes tente lembrar de alguma paisagem que um dia o comoveu pela sua beleza, ou lembre-se de alguma frase ou trecho de livro que o inspirou.

Se sentir dureza no coração, pense em misericórdia. Se surgirem pensamentos de luxúria, pense nas vantagens do celibato. No caso de desonestidade pense em honestidade e integridade. E no caso de avareza pense em generosidade e em pessoas generosas.

Se houver paixão ou Moha, pense em juízo e Atmic Vichara; se houver orgulho, pense em humildade. Quando há hipocrisia pense em fraqueza e nas suas valiosas vantagens. Caso haja inveja pense em nobreza e magnanimidade. Se houver timidez pense em coragem, e assim por diante.

Você afastará os pensamentos e sentimentos negativos e estabelecerá um estado de ânimo positivo. A prática contínua do exercício é essencial. Tenha cuidado na escolha de seus amigos. Fale pouco e apenas sobre assuntos úteis.

2. VITÓRIA SOBRE OS PENSAMENTOS IMPORTUNOS.

No começo da prática de controle dos pensamentos voce sentirá grande dificuldade. Terá que entrar em luta contra os seus pensamentos. Eles farão tudo para defender a própria existência. Dirão: "Temos o direito de permanecer neste palácio da mente. Desde tempos imemoriais possuímos o monopólio de ocupação desta área. Por que razão iremos evacuar nosso próprio domínio? Lutaremos até o fim pelos nossos direitos inatos."

Atacarão você com grande violência. Quando se sentar apenas para meditar, surgirão os mais variados tipos de maus pensamentos. Se tentar suprimi-los, eles o atacarão com força e vigor redobrados. Mas o positivo sempre supera o negativo.

Assim como a escuridão desaparece com o sol, assim como o leopardo não enfrenta o leão, assim também esses pensamentos escuros e negativos — esses importunos invisíveis, inimigos da paz — se afastarão diante dos pensamentos sublimes e divinos. Morrerão de inanição.

3. AFASTE OS PENSAMENTOS IRRITANTES.

Afaste de sua mente todos os pensamentos desnecessários, inúteis e irritantes. Os pensamentos inúteis impedem seu crescimento espiritual; os pensamentos irritantes são obstáculos para seu crescimento espiritual.

Você se afasta de Deus quando alimenta pensamentos inúteis. Substitua-os por pensamentos de bondade. Cultive unicamente pensamentos proveitosos e úteis. Pensamentos úteis são degraus no crescimento e progresso espirituais.

Não permita que a mente permaneça nos velhos sulcos e que conserve seus próprios caminhos e hábitos. Mantenha-se cuidadosamente alerta.

Se uma pedra dentro do sapato nos incomoda, nós a tiramos. Descalçamos o sapato e o sacudimos. Do momento em que se compreende bem esta questão torna-se igualmente fácil remover um pensamento inoportuno e irritante da mente. Não deve haver dúvidas nem duas opiniões contraditórias a respeito disto. A coisa é óbvia, clara e evidente.

Deveria ser tão fácil expelir um pensamento irritante da mente quanto retirar uma pedra do sapato; e, antes que um homem seja capaz disso, é bobagem dizer que ele sobrepujou e conquistou a natureza. É mero escravo e presa dos fantasmas de asas de morcego que esvoaçavam pelo corredor de seu cérebro.

4. DOMINE OS PENSAMENTOS FÚTEIS.

Os pensamentos fúteis lhe causarão muitas dificuldades no começo de sua nova vida de cultivo do pensamento. Também o dificultarão quando iniciar a prática da meditação e da vida espiritual. Mas se for disciplinado no cultivo dos pensamentos espirituais e na meditação esses pensamentos fúteis morrerão paulatinamente de *per se*.

A meditação é um fogo que queima esses pensamentos. Não tente expulsá-los todos. Alimente pensamentos positivos em relação ao tema de sua meditação. Pense positivamente sobre coisas elevadas.

Observe sempre cuidadosamente a sua mente. Seja vigilante. Esteja alerta. Não permita que ondas de irritação, de inveja, de raiva, de ódio, de luxúria surjam na mente. Essas ondas sombrias e os pensamentos fúteis são os inimigos da meditação, da paz e da sabedoria.

Domine-os imediatamente alimentando pensamentos divinos e sublimes. Os pensamentos fúteis que aparecem podem ser eliminados pela criação de bons pensamentos e a continuidade destes pode ser mantida pela repetição de qualquer Mantra ou do Nome do Senhor, pensando numa das formas do Senhor, pelo exercício de Pranayama, cantando o Nome do Senhor, praticando boas ações, lembrando a miséria que os pensamentos fúteis acarretam.

Quando você atingir um estado de pureza nenhum pensamento fútil surgirá em sua mente. Assim como é fácil impedir a entrada de um estranho ou de um inimigo no portão, será fácil afastar um pensamento fútil no momento em que ele aparecer. Corte-o pela raiz. Não permita que ele se enraíze.

5. DOMINE OS PENSAMENTOS IMPUROS.

Quando você está muito ocupado em seu trabalho diário, é possível que não tenha nenhum pensamento impuro; mas quando vai descansar e a mente fica ociosa os pensamentos impuros tentarão entrar traiçoeiramente. Precisa ter cuidado quando a mente está relaxada.

Os pensamentos são fortalecidos pela repetição. Se você alimentar um pensamento impuro ou um bom pensamento, uma vez que seja, ele tem tendência a se repetir.

Os pensamentos se juntam da mesma maneira como as aves da mesma espécie se congregam. Assim, se você cultivar pensamentos impuros, todos se juntarão e o atacarão. Mas se tiver um bom pensamento todos os bons pensamentos virão ajudá-lo.

## 6. SUPRIMA OS PENSAMENTOS NEGATIVOS.

Aprenda a reprimir, a purificar, a ordenar todos os seus pensamentos. Lute contra todos os pensamentos negativos e dúvidas. Deixe que de todos os lados venham até você pensamentos sublimes.

Dúvidas, medo, fraqueza, depressão, pensamentos sombrios, etc., são todos negativos. Cultive pensamentos positivos de força, confiança, coragem, alegria. E os pensamentos negativos desaparecerão.

Encha sua mente de pensamentos divinos com Japa, orações, Dhyana e o estudo de livros sagrados. Olhe com indiferença para todos os pensamentos negativos e fúteis. E eles se afastarão. Não lute contra eles. Peça a Deus que lhe dê força. Leia a vida dos santos. Estude o Bhagavata e o Ramayana. Todos os que seguem estes princípios passaram pelas mesmas dificuldades. Portanto, tenha coragem.

## 7. SUBJUGUE OS PENSAMENTOS COSTUMEIROS.

Toda espécie de pensamentos costumeiros relativos ao corpo, às roupas, à alimentação e assim por diante, precisam ser subjugados pelo Atma-Chintana ou reflexão sobre a Natureza do Eu divino que habita o nosso próprio Coração. Este é um trabalho árduo. Requer paciência, prática constante e força espiritual interior.

Srutis declara categoricamente: "O Atma não pode ser alcançado por pessoas fracas." Os aspirantes sinceros dedicam todo o seu ser à contemplação do Eterno, tendo retraído sua afeição pelo mundo de objetos sensoriais.

Aqueles que destruíram os Vasanas e as hordas de pensamentos costumeiros gozarão da bem-aventurança final na sede Bramânica, cheios de confiança, de aceitação e de igualdade. A sua visão sobre tudo será perfeita. A mente daninha e poderosa é que gera todas as dores e todos os medos, as diversificações, a heterogeneidade, as diferenciações e dualidades e destrói toda a riqueza nobre e espiritual. Mate essa mente perturbadora.

Quando o objeto visto e a visão tornam-se una em quem vê, a experiência chamada Ananda (bem-aventurança) é o seu quinhão. É o estado de Turiya. Por todos os lados vê o Jnana ilimitado, Atma. E então todas as diferenciações e dualidades desaparecem.

Os pensamentos de atração e de repulsa, os afetos e desafetos, Raga-Dvesha são eliminados *in toto*. Neste ponto o sábio não estará mais consciente do corpo, ainda que funcionando nele. Nunca perderá o controle, mesmo entre as muitas ilusões deste mundo, como a mulher que cumpre suas obrigações domésticas enquanto pensa no homem amado que está distante. O sábio mantém constantemente a mente concentrada em Brama.

Possa você sempre e apenas realizar os atos virtuosos que o auxiliarão a atingir Jnana sem pensar em prosperidade material no futuro. Possa você viver submerso no oceano de Júbilo Bramânico, num estado de total esclarecimento tendo eliminado todas as dualidades, as diversidades e as diferenças!

8. TRIUNFE SOBRE OS PENSAMENTOS SEM IMPORTÂNCIA.

Não tente afastar os pensamentos sem importância e sem sentido. Quanto mais você tentar, mais vezes eles se repetirão e ganharão força. Você irá apenas sobrecarregar sua energia e vontade.

Torne-se indiferente. Encha a mente de pensamentos divinos. Os outros desaparecerão paulatinamente. Coloque-se em Nirvikalpa Samadhi através de meditação constante.

A remoção da tensão nos músculos do corpo faz com que a mente descanse e se acalme. Pelo relaxamento você descansará a mente, os nervos e os músculos tensos. Obterá grande paz de espírito, força e vigor. Quando praticar o relaxamento, quer do corpo, quer da mente, o cérebro não se deverá ocupar com diversos tipos de pensamentos estranhos, soltos. A raiva, a decepção, o fracasso, o mal-estar, a miséria, a tristeza, as brigas causam tensão mental interna. Expulse-os.

9. TRANSFORME OS PENSAMENTOS INSTINTIVOS.

Os pensamentos são de quatro tipos, isto é: simbólico, instintivo, impulsivo e costumeiro.

Pensar com palavras é do tipo simbólico. Os instintos são mais fortes do que os impulsos. Os pensamentos costumeiros se referem ao corpo, à alimentação, às bebidas, ao banho, etc.

É fácil parar os pensamentos simbólicos; difícil parar os instintivos e impulsivos.

Consegue-se adquirir equilíbrio e calma mental eliminando as preocupações e a raiva. O medo está realmente ligado à preocupação e à raiva. Seja cuidadoso e vigilante: Todas as preocupações desnecessárias devem ser evitadas. Pense em coragem, júbilo, paz e alegria. Sente-se, durante quinze minutos, em posição confortável e bem relaxado.

Pode se deitar num sofá. Feche os olhos. Afaste a mente dos objetos exteriores. Silencie os pensamentos que fervilham.

10. DIMINUA O NÚMERO DOS PENSAMENTOS COSTUMEIROS.

Geralmente, nas pessoas ainda não acostumadas a fazer esses exercícios, a mente está ocupada, ao mesmo tempo, com quatro ou cinco tipos de pensamentos. Pensamentos sobre o lar, sobre os negócios, o trabalho, o corpo, a comida e a bebida, esperanças e planos, projetos para fazer dinheiro, alguns pensamentos de vingança, alguns costumeiros de, como e quando, ir ao banheiro, de levar-se, etc., ocupam a mente ao mesmo tempo.

Quando às três horas da tarde você está estudando um livro com bastante interesse, a idéia do prazer de assistir uma partida de *cricket* às 4, vem, de quando em quando, perturbar seu estudo. Só um Iogue, com a mente exercitada pela concentração, consegue manter dentro de si um único pensamento durante o tempo que desejar.

Se observar cuidadosamente a mente, verificará que muitos pensamentos são inconsistentes. A mente vagueia sem destino fixo. Lá se encontram alguns pensamentos sobre o corpo e suas necessidades, pensamentos sobre amigos, alguns sobre como ganhar dinheiro, uns sobre comer e beber, outros sobre sua infância, etc.

Se conseguir estudar a mente e conseguir pensar num assunto único, excluindo todos os outros pensamentos, só isto constitui uma vitória e você terá dado um grande passo na conquista do controle dos pensamentos. Não desanime.

11. ACUMULE PENSAMENTOS QUE INSPIRAM.

O objetivo da vida é adquirir a consciência divina. Esse objetivo é a compreensão de que você não é esse corpo mortal nem essa mente mutável e finita, mas o Atma totalmente puro e livre.

Lembre-se sempre deste pensamento inspirador. *Ajo-Nityah Sasvatoyam Purano:* este Ser Antigo não nasce, é Eterno e Permanente. Sua verdadeira natureza é isso e não essa pequena personalidade passageira presa a um nome e a uma forma. Você não é Ramaswamy ou Mukherji ou Mehta ou Mateus ou Garde ou Apte. Caiu nesse pequeno engano por um acaso ocasionado por uma nuvem de ignorância. Desperte e compreenda que é Atma Puro.

Existe outro pensamento Upanishádico e inspirador. É Isavasyamidam Sarvam: todo o conteúdo do universo pulsa com a Vida do Senhor. Sorria com as flores e a grama verde. Sorria com os arbustos, com as samambaias e com os galhos. Crie uma amizade com todos os vizinhos, os cachorros, os gatos, as vacas, os seres humanos, as árvores, quer dizer, com todas as criações da natureza. Terá assim uma vida perfeita e rica.

12. REFLITA SOBRE OS PENSAMENTOS ESCLARECEDORES.

Se quiser desenvolver seu poder de pensamento, se quiser estruturar sua personalidade e tornar-se grande, tenha sempre a mão alguns livros de pensamentos inspiradores e esclarecedores. Leia-os e releia-os tantas vezes até que se tornem parte de seus atos diários e de sua maneira de viver.

Aqui estão, para sua reflexão, alguns pensamentos que iluminam:

1. Uma consciência limpa fortalece o coração e a mente.
2. A pobreza é a irmã mais velha da preguiça.
3. Conhecer-se a si mesmo é o maior dos tesouros. A meditação é a chave do conhecimento.

13. PENSAMENTOS CORRETOS PARA PENSAMENTOS ERRADOS.

Pensamentos de paixão e de luxúria devem ser dominados por uma prática persistente de Brahmacharya, pelo desejo intenso de compreender a Verdade, de conhecer Deus, pela meditação sobre as grandes vantagens da pureza.

Pensamentos de ódio e de raiva devem ser controlados pelo cultivo de pensamentos de amor, de perdão, de misericórdia, de amizade, de paz, de paciência e de não violência.

Pensamentos de cobiça, de ganância e de possessão devem ser afastados pela procura da honestidade, do desinteresse, da generosidade, do contentamento e da não cobiça.

A nobreza e a magnanimidade, a complacência e a grandeza de alma o ajudarão a superar todos os pensamentos mesquinhos, preconceituosos e de inveja.

Desenvolver o discernimento é a melhor maneira de dominar o engano e a obsessão. A vaidade é subjugada por uma simplicidade de várias facetas, a arrogância pela polidez.

14. A ESCALA DOS PENSAMENTOS.

Existem muitos tipos de pensamentos. Há os pensamentos instintivos, os visuais, ou auditivos (pensar em termos auditivos). Existem os pensamentos simbólicos (pensar em termos de símbolos). E alguns pensamentos são costumeiros.

Há pensamentos cinestéticos (pensar em termos de movimento, como num jogo). Existem pensamentos emocionais. Os pensamentos mudam do estado visual para o auditivo, do auditivo para o cinestético.

É íntima a conexão entre pensar e respirar e existe uma relação muito forte entre a mente e Prana. Durante a concentração da mente, a respiração torna-se lenta. Quando pensamos rapidamente a respiração também se acelera. Existe uma máquina para ler os pensamentos chamada psicógrafo, que registra corretamente os tipos de pensamentos.

15. PENSAMENTOS MESQUINHOS E O DESENVOLVIMENTO MORAL.

Os pensamentos descontrolados são a base de todos os males. Cada pensamento isolado é extremamente fraco porque, geralmente, a mente está distraída com inúmeros pensamentos permanentemente variáveis.

Quanto mais os pensamentos forem contidos, tanto mais a mente se concentra e, conseqüentemente, adquire mais força e poder.

Para destruir pensamentos mesquinhos e vis é preciso um trabalho paciente; mas o cultivo de pensamentos sublimes é o método mais rápido e fácil de destruir pensamentos vis. Ignorando as leis do pensamento, um indivíduo de mente ocupada com futilidades torna-se presa de toda espécie de pensamentos — pensamentos de ódio, de raiva, de vingança, de luxúria — e enfraquece sua vontade, reduz seus poderes de discernimento e fica escravo do funcionamento sutil e perigoso da mente.

O melhor método para obter poder mental é alimentar pensamentos sublimes, nobres e bons e através do auxílio destes controlar os pensamentos vis e fúteis que distraem, diversificam e são negativos.

Quando um mau pensamento persegue a mente o melhor método de eliminá-lo é ignorá-lo. E como poderemos ignorar um mau pensamento? Se nos esquecermos dele. E como esquecê-lo? Deixando de alimentá-lo e deixando de nos preocupar com ele.

Como poderemos impedir que a mente o alimente ou se preocupe com ele? Tentando pensar em algo extremamente interessante, em algo sublime e inspirador. Ignore, esqueça, pense só em coisas que inspiram; este trio é o grande Sadhana para estabelecer o domínio sobre maus pensamentos.

Capítulo Sétimo

## MÉTODOS CONSTRUTIVOS PARA O CONTROLE DO PENSAMENTO

1. CONTROLE DO PENSAMENTO PELA PRÁTICA DA CONCENTRAÇÃO.

Silencie os pensamentos que fervilham. Acalme as emoções que surgem. No começo concentre a mente numa forma concreta, numa flor, na forma do Senhor Buda, em qualquer imagem de sonho, na luz esfuziante do coração, no retrato de qualquer santo, ou no seu Ishta Devata.

Faça o exercício três ou quatro vezes: pela manhã, lá pelas 8 horas; às 4 da tarde, e às 8 da noite. Os iniciantes se concentram no coração, os Raja Iogues em Trikuti (a sede da mente), os Vedantins no Absoluto. Trikuti é o espaço entre as sobrancelhas.

Você também pode se concentrar sobre a ponta do nariz, o umbigo ou o Muladhara (abaixo da última vértebra da coluna dorsal).

Quando pensamentos sem sentido penetram a mente não tome conhecimento deles. Eles passarão. Não os afaste à força. Porque persistirão e resistirão. Isso sobrecarregará sua vontade. Voltarão com vigor redobrado. Substitua-os por pensamentos divinos. Os pensamentos sem sentido desaparecerão paulatinamente. Pratique a concentração lenta e persistentemente.

Usa-se a concentração para acabar com as modificações da mente. A concentração mantém a mente presa a uma forma ou objeto durante um longo tempo. Para remover as oscilações da mente e vários outros obstáculos que se colocam no caminho da linha única e direta, deve ser feita a concentração sobre um só assunto.

A concentração é o oposto de pensamentos e desejos sensuais, o contentamento, da ansiedade e da preocupação, o pensamento aplicado, do desleixo e do torpor, o encantamento, da má vontade.

A mente concentra-se facilmente sobre objetos externos. A tendência natural da mente é ir para fora. Coloque à sua frente um retrato de Sri Krishna, de Rama, de Narayana, de Devi, de Jesus, ou algo semelhante. Olhe para ele fixamente sem piscar. Olhe a cabeça, depois o corpo, depois as pernas. Repita esse processo várias vezes. Quando sua mente estiver calma, fixe o olhar num ponto determinado depois feche os olhos e visualise o retrato.

Você será capaz de visualizar claramente o retrato mesmo longe dele. Será preciso recapitular a imagem mental a qualquer instante. Mantenha-a firmemente durante algum tempo. Isto é concentração. Terá que praticá-la diariamente.

Se quiser aumentar seu poder de concentração terá que diminuir seus desejos e atividades mundanas. Todos os dias precisará manter o silêncio durante algumas horas. Só então poderá a mente concentrar-se facilmente e sem dificuldade.

Na concentração haverá apenas um pensamento ou onda no lago da concentração. A mente assume a forma de um único objeto. Todas as outras funções da mente ficam em suspenso.

2. CONTROLE DO PENSAMENTO ATRAVÉS DE UMA ATITUDE POSITIVA.

Tente adquirir o poder de se fechar contra a entrada de pensamentos e influências prejudiciais ou indesejáveis, através de uma determinada atitude de espírito. Fazendo isso você se tornará receptivo a todos os impulsos interiores mais altos da alma e a todas as forças e influências elevadas vindas de fora. Sugira a você mesmo: "Eu me fecho; torno-me positivo para tudo o que vem de baixo, aberto e receptivo para todas as influências elevadas, tudo o que vem de cima." Adotando, de vez em quando, conscientemente, essa atitude, logo ela se tornará um hábito.

Todas as influências baixas e indesejáveis, tanto do lado visível quanto do invisível da vida, não encontrarão entrada. Por outro lado, todas as influências altas são convidadas e, de acordo com o grau do convite, entrarão.

Na mente existe dúvida; e também existe realidade. A dúvida surge quando se questiona a existência de Deus. Chama-se a isto Samsaya-Bhavana. Outra dúvida surge quando me pergunto se posso compreender Brama ou não. Aí outra voz diz: "Deus ou Brama é real. Ele é uma Realidade tão sólida e concreta quanto uma fruta amalaka que tenho na mão. Ele é uma massa de sabedoria e de Ananda (Prajnanaghana, Chidghana, Anandaghana). Consigo compreender!"

Algumas coisas compreendemos claramente e essas idéias ficam firmes e enraizadas. Outras são vagas e instáveis. Vêm e vão. Temos que cultivar idéias e firmá-las até que elas se implantem e se fixem firmemente. Clarear as idéias servirá para remover a perplexidade e a confusão da mente. Quando surgir uma dúvida, "Se Deus existe ou não, se conseguirei a realização do meu Eu ou não", ela deve ser afastada por sugestões e afirmações tais como: "É verdade; vou conseguir. Não há dúvida sobre isto." "No meu dicionário, no meu vocabulário não há palavras como 'não pode', 'impossível', 'difícil', etc. Debaixo do sol tudo é possível." Nada é difícil quando a sua mente toma uma decisão firme. Decisões firmes e resoluções fortes são as molas de um sucesso real em qualquer esforço, especialmente na conquista da mente.

3. O CONTROLE DO PENSAMENTO PELA NÃO-COOPERAÇÃO.

Não coopere com a mente em suas más divagações. Paulatinamente ela ficará sob seu controle. Aqui está um método prático para não cooperar com a mente. Se a mente disser: "Preciso comer doces hoje" "Hoje não vou cooperar com você. Não comerei doces. Vou só comer pão e Dal". Se a mente disser: "Quero ir ao cinema" diga: "Vou ao Satsanga do Swami Ramananda e ouvir sua palestra sobre os Upanishads." Se a mente disser: "Preciso comprar uma camisa de seda", diga: "Daqui por diante não usarei mais seda; vou só usar Khaddar." Esta é a maneira de não cooperar com a mente. A não cooperação com a mente significa nadar contra a corrente sensorial. A mente será desbastada e, aos poucos, se tornará sua serva obediente. Você alcançará o domínio da mente.

O homem que se controla, mesmo vivendo entre coisas sensoriais mas refreado e livre de atrações e de repulsas, atinge a paz. A mente e os sentidos sofrem, por natureza, o impacto de duas correntes, a da atração e a da repulsa. Portanto a mente e os sentidos gostam de certas coisas e não gostam de outras. Mas o homem disciplinado move-se entre os objetos sensoriais com a mente e os sentidos livres de atração e de repulsa, senhor do seu Eu, e atinge a paz do Eterno.

O Eu disciplinado tem uma vontade poderosa. Os sentidos e a mente obedecem sua vontade. O Eu disciplinado usa apenas as coisas necessárias, sem amor ou ódio, para manter o corpo. Não usa nunca as que são proibidas pelos Sastras.

4. A ARTE DE DESBASTAR OS PENSAMENTOS.

Nos seringais os fazendeiros usam o método de desbastar as seringueiras cortando as árvores menores que aparecem perto das grandes. Dessa forma conseguem extrair mais látex (o suco da borracha) das árvores grandes. Também você precisa desbastar os pensamentos para poder beber o leite ambrosíaco ou néctar da imortalidade.

Assim como você recolhe de uma cesta os frutos bons e joga fora os estragados, precisa também guardar na mente os bons pensamentos e rejeitar os maus.

Assim como o guerreiro corta a cabeça de cada inimigo que sai da fortaleza pelo alçapão, você também precisa cortar, um a um, os pensamentos que saem do alçapão para chegar à superfície da mente.

Quando se corta a cauda de um lagarto o pedaço cortado, durante algum tempo, continuará movendo-se porque ainda existe nele um resíduo de Prana. Depois de alguns minutos ele pára. Da mesma forma, depois de desbastar e reduzir os pensamentos, alguma mover-se-ão como a cauda de um lagarto. Mas serão inofensivos. Não poderão causar nenhum prejuízo sério. Perderam a vitalidade.

Assim como o homem que está se afogando tenta agarrar qualquer coisa que o salve, esses pensamentos sem vida esforçam-

-se violentamente para voltar ao seu antigo estado de vitalidade e vigor. Se você praticar regularmente seus exercícios de concentração e de meditação, eles morrerão de inanição como uma lamparina sem óleo.

A paixão, o egoísmo, a inveja, o orgulho e o ódio têm raízes fundas. Quando cortamos os galhos de uma árvore, depois de algum tempo eles voltam a crescer de novo. Assim também esses pensamentos suprimidos ou desbastados, depois de certo tempo voltam a se manifestar. Precisam ser totalmente desenraizados por esforço intenso, Vichara, meditação, etc.

5. CONTROLE DO PENSAMENTO PELO MÉTODO DE NAPOLEÃO.

Quando pensar num assunto não permita que outros pensamentos venham interferir. Quando pensar numa rosa pense apenas em outros tipos de rosa. Não deixe que apareçam outros pensamentos.

Quando pensar em misericórdia pense só em misericórdia. Não pense em perdão nem em tolerância. Quando estudar o Gita não pense em chá ou numa partida de *cricket*. Ocupe-se totalmente com o assunto em questão.

Napoleão controlava seus pensamentos desta maneira: "Quando quero pensar em coisas mais agradáveis, fecho as gavetas da mente que contém as coisas mais desagradáveis da vida e abro aquelas onde estão as mais agradáveis. Se quero dormir, fecho todas as gavetas da mente!"

6. SUSPENDA A REPETIÇÃO DOS MAUS PENSAMENTOS.

Suponhamos que os maus pensamentos permaneçam na sua mente durante doze horas e voltem a cada três dias. Se você conseguir que eles fiquem apenas dez horas e voltem só uma vez por semana pela prática diária da concentração e da meditação, já conseguiu um progresso. Se continuar suas práticas, o período de permanência e a volta diminuirão pouco a pouco.

Com o tempo desaparecerão completamente. Compare o seu estado de espírito com o do ano passado e o do ano anterior a este. Poderá avaliar o seu progresso.

No começo o progresso será lento. Será difícil você calcular seu desenvolvimento e progresso.

7. NÃO FAÇA CONCESSÕES AOS PENSAMENTOS ERRADOS.

Primeiro um pensamento errado penetra na mente. Você o alimenta com a imaginação. Delicia-se em desenvolvê-lo. Você permite que ele permaneça e, lentamente, esse pensamento errado, quando não encontra resistência, vai-se firmando na mente.

Aí, então, torna-se muito difícil afastá-lo. Diz um ditado: "Dê a um sem-vergonha um dedo e ele lhe tomará o braço." O mesmo se aplica aos maus pensamentos.

8. CORTE O MAU PENSAMENTO PELA RAIZ.

Da mesma forma como você fecha a porta ou portão quando um cão ou um burro tenta entrar, feche a mente antes que um mau pensamento entre e cause uma impressão no seu cérebro. Logo se tornará sábio e atingirá a paz e a beatitude infinita e eterna.

Afaste a luxúria, a cobiça e o egoísmo. Cultive apenas pensamentos puros e santos. É uma tarefa árdua e difícil. Precisará treinar para praticá-la. Depois de algum tempo conseguirá resultados.

A eliminação de um mau pensamento lhe dará forças para destruir outros e desenvolverá o poder de sua alma e de sua vontade.

Nunca se desespere quando falhar na extirpação de um mau pensamento. O fracasso não deve significar dor. Paulatinamente a sua força espiritual interior manifestar-se-á. Poderá senti-la.

9. EXERCÍCIO ESPIRITUAL PARA ELIMINAR OS MAUS PENSAMENTOS.

Algumas vezes sua mente sentirá arrepios quando nela penetrem maus pensamentos. Será um sinal de seu progresso espiritual. Estará em fase de desenvolvimento espiritual. Ficará atormentado quando pensar nas más ações que cometeu no passado.

Isto também é sinal de uma elevação espiritual. De agora em diante não repetirá as mesmas ações. Sua mente se atemorizará. Seu corpo irá tremer quando o pensamento errado sobre uma ação má o impelir a cometer o mesmo ato pela força do hábito. Continue a meditar com grande vigor e aplicação. Todas as lembranças de más ações, todos os maus pensamentos, todas as tentações do demônio morrerão de inanição. Você estabelecerá dentro de si paz e pureza perfeitas.

No começo, toda espécie de maus pensamentos surgirão em sua mente assim que se sentar para meditar. Por que será que isto acontece durante a meditação quando tenta alimentar pensamentos puros?

Muitos aspirantes abandonam a prática da meditação por causa disto. Se tentar puxar um burro este vai querer se vingar escoiceando-o. Assim, também os maus pensamentos tentam atacá-lo vingativamente e com força redobrada quando você se esforça para alimentar pensamentos bons e puros. Um inimigo seu resistirá violentamente quando quiser expulsá-lo de sua casa.

Existe na natureza uma lei de resistência. Os antigos maus pensamentos se afirmam e dizem: "Homem! Não seja cruel. Permitiu que permanecêssemos na sua fábrica mental durante tanto tempo. Temos direitos adquiridos de permanência. Até agora nós o auxiliamos em todas as suas más ações. Por que quer expulsar-nos de nossa morada? Recusamo-nos a abandonar nossa residência." Mas não desanime. Continue a exercitar-se na meditação com regularidade. Esses maus pensamentos serão desbastados.

Depois de algum tempo todos desaparecerão. O positivo sempre supera o negativo. É uma lei da natureza. Os pensamentos negativos e maus recuam diante de pensamentos positivos e bons. A coragem domina o medo. A paciência domina a raiva e a irritação. O amor domina o ódio. A pureza domina a luxúria.

Só o fato de você se sentir mal quando um mau pensamento vem à tona da mente durante a meditação, indica que está crescendo espiritualmente.

No passado alimentou conscientemente todo tipo de maus pensamentos. Recebeu-os com prazer e mostrou-se satisfeito com eles. Persevere nos exercícios espirituais. Seja tenaz e aplicado. E não há dúvida que terá sucesso. Mesmo um aspirante medíocre sentirá em si próprio uma transformação maravilhosa se mantiver a prática de Japa e da meditação durante 2 ou 3 anos seguidos. Depois não poderá abandoná-la. Se parar essa prática da meditação por um dia sequer, sentirá, de fato, que nesse dia perdeu algo. Sua mente ficará inquieta.

## 10. OS MELHORES REMÉDIOS PARA OS MAUS PENSAMENTOS.

Quando a mente está vazia os maus pensamentos tentam entrar. O mau pensamento é o começo ou o ponto de partida do adultério. Dê apenas um olhar cheio de desejo e já cometeu adultério em seu coração. As verdadeiras ações são as mentais. Lembre-se disto! Deus julga o homem por suas intenções; as pessoas mundanas julgam um homem por suas ações físicas externas. É necessário procurar conhecer as intenções de um homem. Aí não haverá enganos.

Mantenha a mente totalmente ocupada e os maus pensamentos não penetrarão. Uma mente ociosa é um campo de trabalho para o demônio. Vigie a mente o tempo todo.

Esteja sempre ocupado com algum trabalho — costurar, lavar, varrer, carregar água, ler, meditar, cantar hinos sagrados, rezar, servir os mais velhos ou cuidar dos doentes. Evite conversas vazias e mexericos. Encha a mente de pensamentos sublimes como os que estão no Gita, nos Upanishads, no Yogavasishtha, etc.

## 11. A DISCIPLINA DIÁRIA DOS PENSAMENTOS.

A mente é como uma criança levada da breca, como um macaquinho irrequieto. Precisa ser disciplinada diariamente. Só então poderá ser gradualmente controlada por você.

Só através de um treino prático da mente é que conseguirá impedir o aparecimento de maus pensamentos e ações e afastar os que voltam pela repetição.

O treino prático da mente é a única maneira de você estimular a ocorrência de bons pensamentos e ações e mantê-los quando surgirem.

Aqui está um lindo exercício diário para a obtenção do relaxamento mental. Instilará em si grande força e inspiração. Feche os olhos. Pense sobre qualquer coisa agradável. Sua mente se relaxará de maneira maravilhosa. Pense no imenso Himalaia, no Ganges sagrado, no lindo panorama de Kashmir, no Taj Mahal, no monumento da rainha Vitória em Calcutá, num glorioso pôr de sol, na vastidão do oceano ou no azul infinito do céu.

Imagine que o mundo todo e o seu corpo flutuam como uma palha sobre este vasto oceano do Espírito. Sinta-se em contato com o Ser Supremo. Sinta que a vida do mundo todo está pulsando, vibrando e latejando em você. Sinta que o Senhor Hiranyagarbha, o oceano da Vida, o nina em Seu seio infinito. Depois abra os olhos. Gozará de imensa paz de espírito, de vigor e de força. Pratique este exercício e sinta seus efeitos.

12. OS PENSAMENTOS E A ANALOGIA DA SERPENTE.

Como a fruta nasce da semente os atos nascem dos pensamentos. Bons pensamentos produzem boas ações; maus pensamentos, más ações.

Alimente bons pensamentos e repila os maus. Se cultivar bons pensamentos através de Satsanga, do estudo de livros religiosos, de orações, etc. os maus pensamentos morrerão por si próprios.

Assim como você consegue retirar a pedra no sapato que o está incomodando, deverá também poder remover com a mesma rapidez qualquer pensamento inquietador de sua mente. Só então terá adquirido força suficiente no controle do pensamento. Só então terá atingido um progresso real no caminho espiritual.

Quando você, com um pau, dá uma pancada na cabeça de uma serpente e a amassa, ela permanecerá imóvel durante algum tempo. Pensará que está morta. De repente ela levantará a cabeça e fugirá. Assim também os pensamentos, que certa vez esmagou e suprimiu, retomarão forças e levantarão a cabeça. Precisam ser totalmente destruídos para que não ressuscitem.

13. CONQUISTE O MUNDO PELO DOMÍNIO DOS PENSAMENTOS.

Controle os pensamentos ou Sankalpas. Evite a imaginação e os devaneios. A mente se aniquilará. A extinção só dos Sankalpas já é Moksha ou liberação. A mente se destrói quando não existe imaginação.

As experiências do mundo ilusório provêm de sua imaginação. Elas desaparecem quando você dá um paradeiro à imaginação.

A vitória sobre os pensamentos significa uma vitória sobre todas as limitações, fraquezas, ignorância e sobre a morte. A guerra interior contra a mente é mais terrível do que a guerra exterior com metralhadoras. A conquista dos pensamentos é mais difícil do que a conquista do mundo pelas armas. Conquiste os pensamentos e assim você conquistará o mundo.

14. CONSTRUA UM CANAL DIVINO PARA A FORÇA DO PENSAMENTO.

Geralmente os pensamentos fluem com facilidade ao encontro de objetos externos. É fácil para a mente pensar em objetos mundanos. Isto chama-se Svabhava.

A força mental flui normalmente pelos velhos sulcos e caminhos dos pensamentos mundanos. Acha extremamente difícil pensar em Deus. É um trabalho árduo para uma mente Samsárica de Vyavahara.

A dificuldade de limpar a mente de pensamentos mundanos, de objetos exteriores e de fixá-la em Deus é tão grande quanto fazer o Ganges correr para Gangotri em vez de descer naturalmente para Ganga-Satar. É o mesmo que tentar remar contra a corrente do Jamuna.

Entretanto, através de esforço intenso e de Tyaga, precisa ser treinada para dirigir-se a Deus, por mais que seja contra sua vontade, se você quiser se libertar de nascimento e morte. Não existe outra maneira para fugir das misérias e tribulações do mundo.

15. O PAPEL DA VIGILÂNCIA NO CONTROLE DOS PENSAMENTOS.

No começo é muito difícil fixar a mente num só pensamento. Diminua o número de pensamentos. Tente pensar num só assunto.

Se pensar em rosa poderá ter muitas espécies de pensamentos relacionados unicamente à rosa. Poderá pensar nas diversas variedades de rosas cultivadas em diferentes países. Poderá pensar nos vários produtos fabricados com rosas e nos seus usos. Poderá até permitir que surjam pensamentos sobre outras flores; mas não pense em frutas ou verduras.

Pare o estado divagador e sem objetivos da mente. Quando pensar em rosa, não entre em devaneios. Aos poucos poderá fixar a mente num único pensamento. Terá que disciplinar a mente diariamente. A vigilância eterna é indispensável para o controle dos pensamentos.

16. VIGIE E ESPIRITUALIZE SEUS PENSAMENTOS.

Vigie os pensamentos. Controle-os. Torne-se testemunha deles. Eleve-se acima dos pensamentos e resida na consciência pura onde não há pensamento.

As paixões, tendências, desejos e impressões sutis que se encontram na profundeza do subconsciente produzem um efeito tremendo na sua vida consciente.

Precisam ser purificados e sublimados. Precisam adquirir um tom espiritual. Ouça o que é propício. Veja o que é propício. Pense sobre o que é propício. Fale sobre o que é propício. Medite sobre o que é propício. Compreenda o que é propício. Saiba o que é propício.

O medo, antipatia violenta, ódio recalcado, preconceito, intolerância, raiva, luxúria, perturbam a ação da mente subconsciente. Cultive as virtudes. Purifique e reforce a mente subconsciente. O desejo, a cobiça, etc. escravizam e escurecem a mente que precisa libertar-se e readquirir sua pureza límpida para refletir a verdade e praticar a meditação. Os impulsos mais baixos pertencem ao corpo físico e ao plano mental.

Quando a mente pára de funcionar porque os Vasanas (impressões mentais e desejos sutis) estão ausentes, então surge o estado de Manonasa ou aniquilação da mente.

## Capítulo Oitavo

## AS FORMAS DE CULTIVO DO PENSAMENTO

1. DISCERNIMENTO E CULTIVO MENTAL INTERIOR.

Quando surgem desejos em sua mente, tente não ceder a eles. Rejeite-os pelo discernimento, pela pesquisa correta e pela objetividade. Pela prática constante vai adquirir tranqüilidade e força mental. A mente será desbastada, ficará praticamente impedida de fazer divagações. Sua tendência de voltar-se para coisas externas será restringida.

Se os desejos forem eliminados, os pensamentos também morrerão de inanição. Com a observação contínua dos defeitos dos inúmeros objetos sensoriais a mente se distanciará deles e se fixará em Brama.

Com a prática de Sama, os cinco Jnana-Indriyas ou órgãos de percepção, isto é, o ouvido, a pele, os olhos, a língua e o nariz também serão controlados. Sama é serenidade da mente produzida pela eliminação constante dos Vasanas ou desejos.

2. PENSAMENTOS MALÉFICOS E VIGILÂNCIA SOBRE SI PRÓPRIO.

Compreenda cabalmente as conseqüências graves e destruidoras de maus pensamentos. Isto o deixará alerta para quando aparecerem maus pensamentos. No momento em que surgirem esforce-se e afaste a mente com pensamentos sobre coisas divinas, oração ou Japa. Um verdadeiro esforço para expulsar os maus pensamentos manterá você tão alerta que, se eles aparecerem num sonho, imediatamente isto o acordará. Se o inimigo aparecer quando estiver acordado e se realmente estiver suficientemente alerta, não lhe será difícil enfrentá-lo.

Você precisa ser salvo da deformação e dos abortos da mente. Esta é como uma criança traquinas. As energias clamorosas da mente precisam ser disciplinadas para se tornarem os canais passivos de transmissão da verdade. A mente deve ser preenchida com Sattva (pureza). Tem que ser treinada para pensar constantemente na Verdade ou Deus.

Se desejar um progresso rápido no caminho espiritual vigie cada pensamento. Uma mente vazia está sempre perturbada. É a fábrica do demônio. Seja cuidadoso. Resguarde sua mente. Esteja alerta diante de cada impulso ou pensamento.

Procure sublimar ou espiritualizar seus instintos. O mau pensamento é o ladrão mais perigoso que existe. Mate esse ladrão com a espada da sabedoria. Gere todos os dias em sua mente vibrações ou ondas de pensamento divinas. Torne a sua maneira de pensar pura, forte, sublime e precisa. Obterá enorme paz e força espiritual.

Cada pensamento deve ser construtivo e nobre. Os pensamentos são apenas refrações. Elimine-os todos. Penetre na Luz das luzes. Se quiser atingir a realização do próprio Eu é preciso parar a imaginação e a especulação. Purifique e controle as emoções. Sob a sua vida consciente existe uma vasta região de vida subconsciente.

Todos os hábitos têm sua origem no plano subconsciente. Sua vida subconsciente é mais poderosa do que a vida comum de consciência objetiva. Praticando Ioga poderá modificar, controlar e influenciar as profundezas subconscientes. Reflita sobre um mau hábito. Todas as manhãs medite sobre a virtude oposta. Pratique-a durante o dia. O defeito logo desaparecerá. De manhã medite sobre misericórdia e pratique-a durante o dia. Logo, logo será dotado de misericórdia.

Se maus pensamentos penetram em sua mente uma vez por mês, e não mais três vezes por semana (lembre-se de que o mau pensamento é a origem do adultério), se você se enraivece uma vez por mês e não mais três vezes por semana, significa que está progredindo, e será um sinal de que sua força de vontade está aumentando, de força espiritual em desenvolvimento. Alegre-se. Mantenha um diário de progresso espiritual.

3. DESENVOLVIMENTO DO EU PELO CULTIVO DO PENSAMENTO IOGUE.

Os fenômenos supranormais que ocorrem na prática da Ioga e as experiências de planos mais sutis que os praticantes obtêm, são encarados com suspeita e considerados mera mágica oriental. A Ioga não é extravagante nem contém nada de anormal. Seu objetivo é o desenvolvimento integral de todas as faculdades do homem. É a maneira racional e longamente experimentada para se atingir uma vida mais cheia e abençoada e que, naturalmente, será seguida por todos num mundo futuro.

Todos os métodos de Ioga têm por base um treinamento ético e perfeição moral. A eliminação de vícios e o desenvolvimento de certas virtudes são os primeiros degraus na escada da Ioga.

O degrau seguinte é a disciplina de sua natureza e a formação de um caráter firme e puro pela aquisição de hábitos corretos e por práticas diárias regulares. Sobre este alicerce firme de um caráter moral virtuoso e bem estabelecido, constrói-se o resto da estrutura da Ioga.

4. O CULTIVO DO PENSAMENTO PELO MÉTODO DA SUBSTITUIÇÃO.

O método de substituição é muito simples e eficaz na destruição de maus pensamentos. Cultive pensamentos positivos virtuosos de misericórdia, de amor, de pureza, de perdão, de integridade, de generosidade e de humildade no jardim de sua mente.

Os pensamentos viciados e negativos de ódio, luxúria, raiva, cobiça, orgulho, morrerão de inanição.

É difícil destruir os maus pensamentos atacando-os diretamente. Terá que sobrecarregar sua vontade e gastar sua energia.

5. MÉTODOS ESPIRITUAIS PARA O CULTIVO DO PENSAMENTO.

Se um pensamento impuro se repetir muitas vezes em sua mente ele obterá forças novas.

Precisa afastá-lo imediatamente. Se achar que é difícil, alimente pensamentos opostos de Deus. Cultive pensamentos sublimes e inspiradores. Os maus pensamentos morrerão sozinhos.

Um pensamento nobre é um antídoto poderoso para contrabalançar um mau pensamento. Isto é mais fácil do que o método anterior. Repetindo o nome de Deus, milhares de vezes por dia, os bons pensamentos serão fortalecidos. Repetindo *'Aham Brahma'* milhares de vezes por dia, a idéia de que você é uma alma (Atma) torna-se mais forte e a idéia de que é um corpo se enfraquece cada vez mais.

Se maus pensamentos penetrarem em sua mente não use de força de vontade para expulsá-los. Só perderá energia, só sobrecarregará sua vontade. Ficará cansado. E quanto maiores forem os esforços que fizer tanto mais os maus pensamentos voltarão com vigor redobrado. E também voltarão mais depressa. Ficarão mais fortes. Seja indiferente. Fique quieto. E logo eles passarão. Ou substitua-os por bons pensamentos contrários (método Pratipaksha Bhavana). Ou pense firme e repetidamente na imagem de Deus e no Mantra. Ou reze.

6. A IMPORTÂNCIA DO CULTIVO DOS PENSAMENTOS.

O cultivo do pensamento é matéria de estudo vital. Pouca gente conhece esta arte ou ciência. Mesmo as pessoas chamadas de cultas desconhecem esta educação fundamental.

Todas são vítimas de pensamentos esparsos. Toda espécie de pensamentos soltos de vários tipos vêm e vão na fábrica mental. Não existe nem ritmo nem raciocínio. Não existe concordância nem disciplina. Tudo se encontra num estado de total caos e confusão. Não existe uma clarificação das idéias.

Você não é capaz de pensar, nem que seja por dois minutos, de maneira ordenada e sistemática. Não possui um entendimento das leis do pensamento e das leis do plano mental.

Lá dentro encontra-se um verdadeiro zoológico. Os mais variados tipos de pensamentos sensuais lutam entre si para penetrar a mente de um indivíduo sensual e ser o mais forte. O Indriya dos olhos luta para impor seus próprios pensamentos. Quer obter uma visão exterior. O Indriya do ouvido quer que surjam pensamentos baixos, sensuais, de ódio, de inveja e de medo. Muitos são incapazes de alimentar um único pensamento divino e sublime mesmo durante um segundo. Suas mentes estão moldadas de tal forma que a energia mental escorre para os sulcos sensuais.

7. A BATALHA DOS PENSAMENTOS.

No início do cultivo dos pensamentos existe uma luta interna entre os pensamentos puros e os impuros. O pensamento impuro, persistentemente, tenta penetrar na fábrica mental. Ele afirma: "Ora, homenzinho, no começo você me acolheu. Recebeu-me com satisfação. Aceitou-me cordialmente. Tenho os direitos de permanecer nas partes baixas de sua mente, na sua mente instintiva e apaixonada. Por que então mostrar-se agora tão cruel para comigo? Nada mais fiz do que lhe dar um empurrãozinho, um pequeno estímulo para que fosse a restaurantes e hotéis, cinemas e teatros, salões de baile e bares. Por meu intermédio você gozou de uma série de prazeres. Por que agora essa ingratidão comigo? Vou resistir, persistir e voltar muitas e muitas vezes. Faça o que quiser. Os velhos hábitos o enfraqueceram. Não terá forças para resistir." Só com o tempo é que os pensamentos puros poderão vencer. Sattva é um poder mais forte do que Rajas e Tamas. O positivo sobrepuja o negativo.

8. O BOM PENSAMENTO - A PRIMEIRA PERFEIÇÃO.

O pensamento é um bom servo. É um instrumento. Você precisará utilizá-lo com tato e de maneira apropriada. O primeiro requisito para a felicidade é o controle sobre os pensamentos.

Seu pensamento fica impresso no seu rosto. O pensamento é a ponte que liga o humano ao Divino. Seu corpo, seus negócios, seu lar - são apenas idéias dentro de sua mente. O pensamento é uma força dinâmica. O bom pensamento é a primeira perfeição. O pensamento é a verdadeira riqueza.

9. CULTIVE OS PENSAMENTOS E TORNE-SE UM BUDA.

Expulse de sua mente todos os pensamentos desnecessários, inúteis e irritantes. Os pensamentos inúteis impedem seu crescimento espiritual; os irritantes são obstáculos no seu desenvimento espiritual. Você está longe de Deus quando alimenta pensamentos inúteis. Substitua-os por pensamentos de Deus.

Cultive apenas pensamentos auxiliadores e úteis. Os pensamentos úteis são degraus no seu crescimento e progresso espirituais. Não permita que a mente rode nos velhos sulcos e conserve seus modos e hábitos. Mantenha vigilância cuidadosa. Pela introspecção precisa extrair todo tipo de pensamento mesquinho, de pensamentos inúteis, de pensamentos impuros, desprezíveis, sexuais, de pensamentos de inveja, ódio e egoísmo. Precisa aniquilar todos os pensamentos destrutivos de desarmonia e discórdia. Tem que desenvolver sempre pensamentos puros, bons, cheios de amor, sublimes e divinos. Cada pensamento deve ser de natureza construtiva. Deve ser forte, positivo e definido.

A imagem mental precisa ser de um pensamento claro e bem definido; deve dar paz e conforto aos outros. Não deve produzir a menor dor ou tristeza em alguém. Você será então, na terra, uma alma abençoada. Será uma força poderosa neste mundo. Poderá auxiliar muita gente, curar milhares de pessoas, espiritualizar e elevar um grande número de criaturas como fizeram Jesus e Buda.

Assim como cultiva num jardim jasmins, rosas, lírios e flores honolulu, deve também cultivar as flores de pensamentos pacíficos de amor, misericórdia, bondade, pureza no grande jardim de Antahkarana. Regará esse jardim através da introspecção; com a meditação e pensamentos sublimes extirpe as ervas daninhas de pensamentos vaidosos, inúteis, desarmoniosos.

10. EVITE PENSAR NOS DEFEITOS DE OUTREM.

A natureza da mente é tal, que ela se transforma naquilo em que pensa intensamente. Assim, se pensar nos vícios e defeitos de outra pessoa, sua mente se encherá desses vícios e defeitos, pelo menos por algum tempo.

Aquele que conhece esta lei psicológica, nunca censura os outros ou acusa alguém de suas falhas, mas procura sempre ver o lado bom e elogiar as pessoas. Esta prática nos possibilita um aumento de concentração, o desenvolvimento da Ioga e da espiritualidade.

11. O ÚLTIMO PENSAMENTO DETERMINA A PRÓXIMA ENCARNAÇÃO.

O último pensamento de um homem governa o seu futuro destino. O Senhor Krishna diz no Bhagavad-Gita "Quem quer que, no fim, abandone o corpo pensando em qualquer ser por estar constantemente com o pensamento ligado a tal ser irá fatalmente para esse mesmo ser, Kaunteva". (Capítulo VIII, 6.) Ajamila abandonou sua conduta piedosa e levou uma vida detestável. Caiu nas profundezas de hábitos pecaminosos e tornou-se um ladrão e assaltante. Ficou sendo o escravo de uma prostituta. Gerou dez filhos e o último foi cognominado de Narayana.

Quando estava prestes a morrer ficou absorto em pensamentos sobre o filho mais moço. Três terríveis mensageiros da morte avançaram para Ajamila. Num desespero terrível, Ajamila gritou o nome do filho caçula 'Narayana'.

Com a simples menção do nome de 'Narayana' os assistentes do Senhor Hari vieram rapidamente obstruir o avanço dos mensageiros da morte. Levaram Ajamila para Vaikunda ou o mundo de Vishnu.

A alma de Sisupala entrou no Senhor Supremo com uma faísca brilhante de grandeza e glória inefável. Este vil Sisupala passou a vida vilipendiando o Senhor Krishna e depois entrou no Senhor.

O verme no muro, quando picado por uma vespa, transforma-se nesta última. Assim, também o homem que focaliza seu ódio no Senhor Krishna limpa-se dos pecados e atinge aquele Senhor pela devoção regular como os Gopis por Kama (paixão), Kamsa pelo medo, Sisupala pelo ódio e Narada pelo amor.

O Senhor Krishna diz no Gita "Para qualquer Iogue persistente que constantemente pense em MIM de forma intensa e com a mente concentrada, será fácil atingir-Me; tendo assim chegado até Mim e se unido a Mim, ele não nascerá de novo nesse mundo passageiro de dor e de miséria. Ó Ariuna! Enquanto que todos os mundos criados por Brama são limitados pelo tempo e terão sua hora de dissolução, atingindo-Me, não haverá mais encarnações, portanto o tempo todo medite sobre Mim, o Vasudeva Supremo com sua mente e intelecto fixos em Mim. E sem dúvida a Mim chegará" (Capítulo VIII, 14, 15, 16).

Esta prática constante de fixar a mente no Senhor, ainda que um homem esteja ocupado com seus negócios, vai habilitá-lo a intuitiva e automaticamente pensar no Senhor até na hora final. O Senhor diz: "Com a mente ocupada dessa forma na Ioga da prática constante, e não desviada por qualquer outro obstáculo, a pessoa atinge o Supremo Purusha de glória esplêndida."

O Senhor diz ainda "Aquele que, na hora da morte, pensa em Meu verdadeiro Ser como o supremo Senhor Sri Krishna ou Narayana, deixa o corpo e, na verdade, atinge Meu Ser. Não duvide! Qualquer que seja a forma em que um homem pense em Mim na hora da morte, ele atingirá essa forma, sendo essa forma o resultado de alimentar o pensamento num sulco determinado e pela constante meditação do mesmo".

O Senhor diz ainda: "Aquele que, além disso, fixa sua mente em Mim, mesmo na hora da partida e que se encontra no estado Divino de renúncia a tudo e de manter-se num estado de Brama ou bramânico, liberta-se do engano" (B. G. II, 72).

Quem tem o hábito arraigado de usar rapé durante a vida, quando já inconsciente antes da morte, repete o gesto com os dedos, tal a força que o hábito adquiriu sobre ele.

O último pensamento de um homem sensual será para uma mulher. O último de um bêbado inveterado será para o gole de bebida. O de um usurário cheio de cobiça será sobre dinheiro. O de um soldado será o de matar o inimigo. O de uma mãe profundamente apegada ao filho único será sobre esse filho.

Raja Bharata cuidou, por bondade, de uma gazela e se apegou a ela. Seu último pensamento foi sobre ela. Então ele reencarnou numa gazela, mas conservou as recordações de sua última encarnação pois já era uma alma adiantada.

O último pensamento de uma pessoa será somente o de Deus se, durante a vida, disciplinou a mente e tentou fixá-la no Senhor através de longa prática. Essa prática não pode ser de um dia ou dois, de uma semana ou um mês. É um esforço e uma luta de toda uma vida.

O último pensamento determina a próxima encarnação. O último pensamento importante da vida ocupará a mente na hora da morte. A idéia predominante na hora da morte será a que mais ocupou a atenção durante a vida normal. O último pensamento determina a natureza do corpo que a pessoa terá da próxima vez. Um homem se torna aquilo que pensa.

## 12. O PANO DE FUNDO DO PENSAMENTO SÁTVICO.

A maioria das pessoas sempre quer ter algo de concreto a que se prender, algo em torno de que possa colocar suas idéias, e que às vezes se tornará o centro de todas as formas de pensamento em suas mentes. Assim funciona a mente. Para fixá-la é necessário um pano de fundo de pensamento.

Tenha um pano de fundo de pensamento sátvico de imagem mental. A mente toma a forma de qualquer objeto sobre o qual pense intensamente. Se pensar numa laranja, tomará a forma de uma laranja. Se pensar no Senhor Krishna com harpa na mão, tomará a forma do Senhor Krishna. Você precisa treinar corretamente sua mente e dar-lhe um bom alimento sátvico para assimilá-lo.

Precisa ter um bom pano de fundo de pensamento sátvico para chegar à meta (salvação). Se for um devoto do Senhor Krishna componha um bom pano de fundo com Sua imagem e a repetição do famoso Mantra 'Om Namo Bhagavate Vasudevaya' e Suas qualidades (Forma-fórmula-qualidades). Um Nirguna Upasaka (Vedanti) deveria ter um pano de fundo de pensamento de 'OM' e de seu significado (Oceano Infinito de Luz, Satchidananda, Vyapaka, Paripurna-Atma). Trabalhe no mundo e, do momento em que a mente esteja livre, comece a pensar num pano de fundo de pensamento — seja ele um pano de fundo Saguna ou Nirguna de acordo com seus gostos, temperamento e capacidade de Sadhana. Pensando constantemente formar-se-á um hábito na mente e, sem esforço, ela correrá para esse pano de fundo.

É uma pena que a maioria das pessoas não possua um ideal, nem um programa de vida e nem um pano de fundo de pensamento sátvico. Estão condenadas ao fracasso. O pano de fundo do pensamento de uma moça que acabou de se casar é geralmente sensual. O pano de fundo de pensamento de uma velha mãe é o amor pelos filhos e netos. O pano de fundo de pensamento da maioria das pessoas é de ódio e de inveja. Mesmo as chamadas pessoas cultas com muitos diplomas universitários e conhecimentos acadêmicos que não passam de casca se comparados ao conhecimento espiritual, não possuem um ideal, um programa de vida e um pano de fundo de pensamento. Um fiscal de tributação, depois de conseguir a aposentadoria, casa-se pela terceira vez e continua como um Dewan do Estado.

Uma pessoa de mente mundana é presa de pensamentos sensuais e de pensamentos de ódio, de raiva e de vingança. Na verdade, estes dois tipos de pensamentos tomam posse de sua mente. Torna-se escrava deles. Não sabe como desviar a mente e fixá-la sobre um pensamento nobre e bom. Não conhece as leis do pensamento. A sua ignorância sobre a natureza e o funcionamento da mente é total. Sua situação é extremamente deplorável apesar de suas posses materiais e seu conhecimento livresco obtido em universidades. Viveka ainda não despertou nela. Não possui Sraddha nos santos, Sastras e Deus. É incapaz de resistir a um mau desejo ou tentação por sua vontade ser fraca. O único remédio eficaz e capaz de remover sua intoxicação e encantamento pelo mundo e suas ilusões materiais é uma constante Satsanga ou associação com Sadhus, Sannyasins e Mahatmas.

Depois da aposentadoria todo mundo deveria ter um pano de fundo de pensamento e deveria passar o tempo em estudos filosóficos e contemplação divina. Velhos hábitos de pensamentos descontrolados deveriam ser substituídos por novos hábitos de bons pensamentos. Aos poucos começará uma tendência de alimentar bons pensamentos. Depois, com uma prática contínua desenvolver-se-á um hábito definido e positivo de pensamentos virtuosos e auxiliadores. Mas a luta não será fácil.

Os velhos hábitos tentarão voltar repetidas vezes. Até que você tenha estabelecido firmemente o hábito dos bons pensamentos, terá que encher a mente muitas e muitas vezes de pensamentos sátvicos, pensamentos divinos, pensamentos sobre o Gita, o Senhor Krishna, o Senhor Rama, os Upanishads, etc. Novos sulcos e caminhos se formarão. Assim como a agulha da vitrola corta um sulco no disco, o pensamento sátvico marcará novos sulcos saudáveis na mente e no cérebro. E novos Samsaras tomarão forma.

Conseguirá concentrar-se sem muito esforço. Aquele que conseguiu controlar a mente enxerga dentro do seu próprio Eu com o auxílio de um intelecto puro, o Brama Imortal e Eterno que é o que há de mais sutil, que é a própria beatitude, paz e sabedoria. É o contato do sentido com o objeto do sentido que provoca a percepção mental. Mas se os sentidos são postos de lado e a mente se aquieta chega-se a um ponto em que não existe contato com qualquer objeto de sentido.

Este é o estado de bem-aventurança, de consciência pura ou Nirvikalpa Samadhi que queima todos os Samsaras que provocam todos os nascimentos e mortes. Apego é morte. Você está apegado ao corpo, à ação, à mulher, aos filhos, às posses, à casa, a lugares e objetos que lhe dão prazer. Sempre que existe apego existe também raiva, medo e Vasanas. O apego leva à servidão. Se quiser atingir uma compreensão de Deus, precisa se libertar de todos os tipos de apegos.

O primeiro passo no distanciamento é desapegar-se do corpo com o qual você se identifica tanto. A palavra em sânscrito para o Eu é Atma. Deriva da raiz 'At' que quer dizer caminhar sempre. Portanto Atma significa o que está em permanente evolução através de nomes e formas do universo para poder compreender Sua natureza real e essencial que é Existência-Consciência-Bem-aventurança. Absoluta.

### 13. A CONSCIÊNCIA PURA E A LIBERTAÇÃO DOS PENSAMENTOS.

Com a prática constante e intensa da Ioga e de Jnana Sadhana você pode se libertar das ondas e dos pensamentos. O Iogue liberto das ondas auxilia mais o mundo do que o pregador no palanque. As pessoas comuns não entendem isto direito. Livre de ondas, você, na verdade, espalha-se e impregna cada átomo do universo, purifica e eleva o mundo todo.

Os nomes de Jnanis sem ondas como Jada Bharata e Vamadeva são até hoje lembrados. Nunca publicaram livros. Nunca tiveram discípulos. Entretanto, que influência tremenda produziram estes Jnanis sem ondas na mente do povo!

Você só poderá atingir Jnana quando estiver livre de desejos sensuais e de estados mentais imorais. Para chegar a Jnana é preciso o distanciamento do corpo de objetos sensoriais e o distanciamento da mente de estados mentais imorais. Só então descerá a Luz Divina. Assim como se limpa uma casa de todas as teias de aranha e um jardim de todas as ervas daninhas para receber o vice-rei, o palácio mental precisa ser limpo de todos os vícios, desejos e estados mentais imorais para receber o Brama Sagrado, o Vice-Rei dos vice-reis.

Quando um desejo surge na mente, uma pessoa mundana o aceita e tenta realizá-lo; mas um aspirante imediatamente renuncia a ele através de Viveka. Os sábios consideram até o vislumbre de um desejo como um grande mal. Por isso nunca alimentam qualquer tipo de desejo. Eles se deliciam única e continuamente no Atma.

Pensar inicia o processo da criação. Pensar significa exteriorizar ou concretizar. Pensar quer dizer diferenciação, qualidade, multiplicidade. Pensar é Samsara. Pensar produz identificação com o corpo. Pensar provoca o "eu" e o "meu".

Pensar cria o tempo, o espaço, etc. Pare de pensar com Vairagya e Abhyasa, e incorpore-se na Consciência Pura. Quando não existe pensamento ou Sankalpa, vem a Absolvição ou Jivanmukti.

Capítulo Nono

## DOS PENSAMENTOS PARA A TRANSCENDÊNCIA DO PENSAMENTO

1. PENSAMENTOS E VIDA.

O homem pensa em objetos sensuais e se apega a eles. Acha que as frutas fazem muito bem para a saúde. Esforça-se por adquiri-las. Depois, quando as possui, delicia-se com elas. Apega-se a elas. Então cria o hábito de comer frutas e nos dias em que não consegue obtê-las, sofre.

Do pensamento vem o apego; do apego nasce o desejo; do desejo surge a raiva. A raiva aparece quando o desejo é frustrado por uma ou outra causa; da raiva vem o engano; do engano a falta de memória; da falta de memória a perda do intelecto. Com a perda do intelecto o homem está totalmente acabado. Se você quiser atingir paz permanente, não pense em objetos e coisas mas sempre e somente no Atma imortal e bem-aventurado.

Os desejos em si são inofensivos. Mas são galvanizados pelo poder do pensamento e então geram muita confusão. O homem pensa e devaneia a respeito de objetos dos sentidos. Imagina que obterá deles grandes prazeres. A imaginação excita os desejos. Este poder da imaginação coopera com os desejos. Aí então os desejos se fortalecem e crescem. Atacam violentamente o enganado Jiva.

2. PENSAMENTOS E CARÁTER.

O homem não é fruto das circunstâncias. Seus pensamentos são o arquiteto de suas próprias circunstâncias. Um indivíduo de caráter constrói uma vida através das circunstâncias. Esforça-

-se e persevera firmemente. Não olha para trás. Marcha corajosamente para a frente.

Não teme os obstáculos. Não se irrita nem se enerva. Não se desencojara nem se frustra. Possui grande vigor, energia, força e vitalidade. Tem sempre ânimo e entusiasmo.

Os pensamentos são os tijolos com os quais se constrói o caráter. O caráter não é inato. É formado. É necessário haver determinação para a construção de um caráter definido. Esta deve ser apoiada em esforço persistente.

Construa seu caráter; poderá reformar sua vida. Caráter é poder; é influência; faz amigos. Atrai apoio e patronos. Cria amigos e fundos. Abre um caminho seguro e fácil para a riqueza, as honrarias, o sucesso e a felicidade.

O caráter é o fator que determina a vitória ou a derrota, o sucesso ou o fracasso e isto em todos os problemas da vida. Uma pessoa de bom caráter goza a vida presente e a futura.

Pequenos gestos de bondade, pequenas cortesias, pequenas atenções, pequenas benevolências praticadas corriqueiramente nos seus relacionamentos sociais, dão, ao seu caráter maior encanto do que grandes conferências, discursos, perorações, exibição de talentos, etc., diante de platéias.

O caráter forte forma-se com pensamentos fortes e nobres. Um bom caráter é o produto de esforço pessoal. É o resultado do que tentamos fazer.

Não é a riqueza ou o poder nem o mero intelecto que governa o mundo. É o caráter moral associado à grandeza moral que realmente reina sobre todo o universo.

Sem caráter, nada neste mundo — riqueza, nome, fama, vitória — vale uma palha ou um tostão. O caráter precisa estar por trás e dar apoio a tudo. E o caráter é construído por seus pensamentos.

3. PENSAMENTOS E PALAVRAS.

Existe poder em cada palavra pronunciada. Nas palavras há duas espécies de Vrittis ou pensamentos, isto é, Shakti Vritti e Lakshana Vritti.

Nos Upanishads vamos encontrar o Lakshana Vritti. 'Vedasvarupoham' não quer dizer 'Encarnação de Vedas'. O Lakshana

Vritti denota 'Brama' que pode ser atingido pelo estudo dos Upanishads: unicamente por Sabda-Pramana.

Note aqui o poder nas palavras. Se alguém chamar outro de 'Sala' ou 'Badmash' ou 'idiota', este último ficará imediatamente furioso. Haverá briga. Mas se você chamar alguém de 'Bhagavan' ou 'Prabhu' ou 'Maharaj' ele se sentirá imensamente feliz.

4. PENSAMENTOS E AÇÕES.

Os pensamentos são as sementes latentes da ação. As verdadeiras ações são os atos da mente e não os do corpo. E são os atos da mente que na verdade são chamados de Carmas.

O pensamento e a ação são interdependentes. Não existe mente separada do pensamento. Os pensamentos constituem a mente.

As palavras nada mais são do que as expressões exteriorizadas dos pensamentos que são imperceptíveis. As ações são causadas por sentimentos de desejo e de aversão (gostar ou desgostar). Estes sentimentos são causados pelo fato de você atribuir qualidades agradáveis ou desagradáveis aos objetos. O pensamento é finito. Se não é adequado para exprimir os processos temporais quanto mais inadequado será então para exprimir o absoluto que é inexprimível. O corpo com seus órgãos nada mais é do que a mente.

5. PENSAMENTOS, PAZ E FORÇA.

Quanto menos desejos houver menos pensamentos haverá. Acabe completamente com seus desejos. E a roda da mente estacionará. Se reduzir suas necessidades, se tentar não ceder aos desejos, se se esforçar por extirpá-los, um por um, seus pensamentos diminuirão em freqüência e tamanho. O número de pensamentos por minuto também diminuirá.

Quanto menos pensamentos houver, maior será a paz. Lembre-se sempre disto. Um homem rico metido em especulações numa grande metrópole e que se preocupa com muitas coisas possui uma mente inquieta, apesar de seu conforto, enquanto que um Sadhu que vive numa gruta no Himalaia, praticando o controle dos pensamentos, é muito feliz não obstante sua pobreza.

Quanto menos pensamentos tiver maior será sua força mental e sua concentração. Suponhamos que na sua mente passem em média cem pensamentos por hora. Se, pela prática da concentração e da meditação conseguir reduzir esta média a noventa, terá ganho dez por cento em poder de concentração da mente. Cada pensamento que é diminuído acrescenta força e paz à mente. A diminuição de um único pensamento dará paz e força mental. Pode ser que a princípio não sinta isto pois ainda não possui um intelecto sutil; mas existe em você um termômetro espiritual para registrar a redução mesmo de um único pensamento. Se reduzir um pensamento, a força mental que adquirirá em conseqüência disto o ajudará a reduzir facilmente o segundo pensamento.

6. PENSAMENTO, ENERGIA E PENSAMENTOS SAGRADOS.

O pensamento é uma manifestação mais sutil do ser do que o éter ou a energia. Você pensa porque comunga do pensamento universal.

O pensamento é tanto força quanto movimento. O pensamento é dinâmico. O pensamento se move. O pensamento decide o futuro. Você se torna o que pensa. O pensamento faz um santo ou um pecador. Ele pode moldar um homem. Pense que é Brama e Brama se tornará.

Pensamentos sagrados geram e sustentam outros do mesmo teor. Pensamentos de ódio interferem na harmonia interna do coração. Todo pensamento inútil é um desperdício de energia. Pensamentos inúteis são obstáculos no crescimento espiritual. Cada pensamento deve ter um fito definido.

Maus pensamentos negativos não conseguem afastar o medo. A paciência sobrepuja a raiva e a irritação. O amor domina o ódio; a pureza, a luxúria. A mente não é feita diariamente. A cada minuto ela muda de cor e de forma.

7. PENSAMENTOS QUE AMARRAM.

Através de seu poder de diferenciação a mente gera o universo. A expansão da mente em direção a objetos sensuais significa servidão.

A eliminação de pensamentos constitui libertação. A princípio a mente cria um apego pelo corpo e pelos objetos dos sentidos e amarra o homem através desse apego. O apego é causado pela força de Rajas.

Sattva produz desapego e infunde discernimento e renúncia na mente.

A mente Rajásica é que produz as idéias de "eu" e de "meu" e de diferenças de corpo, de casta, de credo, de cor, de nível social, etc.

Da semente das modificações da mente ou expansão dos pensamentos que cai no solo dos múltiplos e nefastos prazeres do mundo cresce, cada vez mais a árvore venenosa da ilusão Mayáica.

8. DOS PENSAMENTOS PUROS À EXPERIÊNCIA TRANSCENDENTAL.

Há dois tipos de pensamentos: puros e impuros. Desejo de agir virtuosamente, Japa, meditação, o estudo de livros sagrados, etc., tudo isso é pensamento puro. Desejo de ir ao cinema, de prejudicar os outros e de procurar satisfações sexuais é pensamento impuro.

Os pensamentos impuros devem ser destruídos pelo aumento de pensamentos puros, e estes também, no fim, devem ser abandonados.

Os pensamentos se fortalecem pela repetição de prazeres sensuais. Estes deixam na mente impressões sutis.

O verdadeiro Svarupa da mente é somente Sattva. Rajas e Tamas unem-se, no meio, a Sattva por acaso. Podem ser removidos por Sadhana ou exercícios purificadores como os Tapas, serviços desinteressados, Dama, Sama, Japa, devoção, etc. Se você desenvolver o Daivi Sampat ou qualidades divinas, os Rajas e Tamas perecerão. A mente então se tornará pura, sutil, firme e fixa. E daí comungará com o Brama sutil, invisível e homogêneo (Akhandaikarasa Brahman). Ficará misturado com Brama como o leite se mistura com leite, a água com água e o óleo com óleo. O resultado será Nirvikalpa Samadhi.

9. MÉTODO DA RAJA IOGA PARA TRANSCENDER OS PENSAMENTOS.

Substitua os pensamentos impuros pelos puros. Este método de substituição destruirá todos os maus pensamentos. E é muito fácil. É um método da Raja Ioga.

O método de afastar os pensamentos imediatamente pela força de vontade ou usando a fórmula "saia, ó mau pensamento" é muito exaustivo. Não serve para as pessoas comuns. Requer enorme força espiritual e de vontade.

Você precisa elevar-se acima dos pensamentos puros e atingir o estado supremo de não-pensamento. Só então poderá descansar no seu próprio Svarupa. Só então Brama se revelará como a fruta amalaka na mão.

## 10. TÉCNICA VEDÂNTICA PARA TRANSCENDER OS PENSAMENTOS.

Quando pensamentos e emoções inúteis o perturbam, fique indiferente (Udasina). Diga para si mesmo: "Quem sou eu?" Sinta: "Não sou a mente. Sou Atma, o Espírito que penetra em tudo, Suddha Satchidananda. Por que irão as emoções me afetar? Sou Nirlipta, não apegado; sou Sakshi, testemunha dessas emoções. Nada me pode perturbar." Se você repetir essas sugestões de Vichara ou reflexão Vedântica, os pensamentos e as emoções morrerão sozinhas.

Este é o método Jnana de afastar pensamentos e emoções e a luta com a mente.

Quando qualquer pensamento surgir na mente, pergunte: "Por que surgiu este Vritti (modificação)? A quem diz respeito? Quem sou eu?" Pouco a pouco todos os pensamentos morrerão. Todas as atividades mentais cessarão. A mente se voltará para dentro. Descansará no Atma. Isto é Sadhana Vedântica. Precisará ter persistência constante no Sadhana.

Qualquer que seja o pensamento que surja, a pergunta 'Quem sou eu?' destruirá todos os pensamentos de natureza mundana. Ele morrerá de inanição. O ego desaparecerá. O equilíbrio que fica é Kevala Asti; Chinmatra; Kevala Suddha Chaitanya; Chidakasamatra que é Nama-rupa-rahita (livre de todos os nomes e formas), Vyavahararahita, Malavasana-rahita, Nishkriya, Niravayava, que é Santa-Siva-Advaita do Upanishad Mandukya. Isto é Atma. Precisa ser conhecido.

Capítulo Décimo

# A METAFÍSICA DO PODER DO PENSAMENTO

1. O PODER DO PENSAMENTO E O IDEALISMO PRÁTICO I.

O homem vai de mal a pior na escala da vida. Não põe sua força total na ação certa; por isso não obtém o belo resultado da sabedoria. Está atormentado pelas imperfeições. Ressentimentos fervilham em sua mente porque sua vida não flui com a energia certa. O amor do "eu" está sempre pronto para acusar a parte contrária. Os objetos do mundo visual são para ele tormentos deliciosos. Ainda assim quer estabelecer-se numa base firme de sentimentos pessoais. Assoberbado pelas paixões não é capaz de estabelecer relações certas e harmoniosas com os outros. Está sempre e, em todas as circunstâncias, em busca de sua própria felicidade.

O altar da verdade exige as oferendas da rigidez mental, da dureza, da auto-afirmação, da excentricidade e do egoísmo. Para essa verdade que desconhece a parcialidade, o sexo, o olhar cobiçoso, treine-se, homem! Nas experiências humanas está a marca do erro. Por isso sua vida fica disforme e desfigurada. Pelos seus pensamentos errados os homens se tornaram fel aos olhos uns dos outros.

O gelo da má vontade esfria seus corações. Os homens estão ligados uns aos outros por toda espécie de laços — de sangue, de orgulho, de medo, de esperança, de lucros, de luxúria, de ódio, de admiração, — e por todas as circunstâncias, mas não pelo amor espiritual. Isto tudo é resultado de pensamentos errados.

O sábio constrói uma ilha que nenhuma inundação submerge. O perfume das flores espalha-se na direção do vento mas o odor do sábio viaja contra o vento; com seus pensamentos penetra todos os lugares. Parece uma montanha coberta de neve que pode ser vista de longe. Homem! Se encher sua lamparina de água não poderá dispersar a escuridão. Alimente com o óleo dos pensamentos certos a sua lamparina. Deixe que as idéias certas sejam a tocha que iluminará seu caminho. Não procure satisfazer sua vaidade e seu amor próprio.

O homem está morrendo miseravelmente à beira da verdade. Todos os pensamentos maus estão marcados nas fisionomias más. Mas não há motivo para desespero porque não existe escuridão sem luz. Sempre haverá uma resposta sublime para cada necessidade humana. Tudo é possível para os que acreditam nessa possibilidade.

Homem, levante seus olhos na direção certa e use as leis certas. Movimente os pensamentos positivos.

Lembre-se de seu objetivo. É fácil desviar-se por caminhos tangentes.

Um pensamento positivo é uma voz. Fala quando a língua está quieta. Luta e supera serenamente todos os obstáculos e nenhum poder na terra poderá suprimi-lo por muito tempo. Homem, não comercie com fantasias.

Não tente abraçar a felicidade de mil e uma maneiras. Quanto mais a perseguir mais ela se afastará de você. Não se dilacere por causa de outros ou de você próprio.

Mude a direção de seus pensamentos. Analise-se os. Quando a necessidade termina começa a curiosidade. Assim que algo lhe é dado você senta-se e alimenta pensamentos de apetites artificiais. Por isso é que sai dos limites da lei.

Por seus próprios pensamentos você constrói ou destrói seu mundo. Tal é a lei inevitável da reação. Homem, aquilo que guardar no compartimento mais íntimo de seu coração se mostrará na sua vida exterior. Parece que o acaso forma a superfície da realidade, mas lá no fundo as forças do pensamento estão funcionando. Nada no universo e nos acontecimentos cotidianos é meramente acidental. Portanto melhore seus pensamentos.

A verdadeira ação está nos momentos de silêncio. Pensamentos purificados revivificam toda a maneira de viver; e uma voz diz calmamente "você agiu assim, mas teria sido melhor se tivesse agido de forma diferente".

Quando ocupado em seus afazeres diários não permita que se tornem inaudíveis os pensamentos que alimentou na hora da reflexão. Arme-se de pensamentos sublimes.

Não existe outro jeito de ir diretamente ao conhecimento da verdade senão através do nosso raciocínio e das nossas experiências. O pensamento divino reduz séculos no tempo e permanece presente para sempre. Alimente pensamentos divinos.

2. O PODER DO PENSAMENTO E O IDEALISMO PRÁTICO II.

Limpe os pensamentos baixos com pensamentos elevados e quando a limpeza estiver terminada não se agarre a nenhum deles. As suas experiências atuais são o resultado de pensamentos, sentimentos e ações durante um número incalculável de vidas passadas. Não será fácil modificá-las sem um longo processo e prática de pensar.

O pensamento é o pai da ação. Se quer melhorar suas ações purifique seus pensamentos.

Torne-se um crente fervoroso da autoconfiança e do esforço próprio. Pode determinar seu destino pela força dos pensamentos. Assim como as nuvens são a fonte principal das chuvas assim também o controle dos próprios pensamentos é a fonte de uma prosperidade duradoura. Você é o seu próprio amigo ou inimigo. Se não quiser se salvar alimentando bons pensamentos, não existe outro remédio.

A mente é o único criador. Tudo é criado pela mente. Ela está absolutamente livre para criar um mundo próprio. Quando nos referimos ao fato de que a mente é a criadora dos objetos externos está implícito que essa é a mente cósmica e uma parte de Isvara Srishti.

Quando se fala na mente em relação a funções psicológicas como o amor, o ódio, etc., ela deve ser considerada como sendo a mente individual e parte de Jiva Sridhti. Não se esqueça que o verdadeiro Deus vive em seu coração e de que a única maneira de adorar a verdadeira Divindade que reside no templo de seu corpo é através de pensamentos sublimes. Pare as funções psicológicas de sua mente e veja valor unicamente nos pensamentos sublimes.

A natureza das coisas à sua volta é a que você lhes confere. Sua vida é o que você dela faz com seus pensamentos. Os pensamentos são os tijolos com que constrói sua personalidade. O pensamento determina o destino. O mundo ao seu redor é um reflexo de seus pensamentos.

As suas experiências provêm de sua maneira de pensar. Sua própria imaginação causa em você grande confusão. Se é tímido foi você que se fez assim com pensamentos de medo. Não solte as rédeas da imaginação.

Você só é afetado pelas coisas, de acordo com as idéias que faz a respeito delas. A mente só vê valor naquilo em que acredita intensamente. Ainda que todos vocês vejam o mesmo objeto cada um atribui a ele um valor diferente. Você pensa de acordo com suas propensões mentais.

O pensamento é um instrumento criativo e o homem se torna aquilo que pensa. O caráter é formado pelo pensamento. Você nasceu com o que já havia pensado e seu caráter atual é um índice de seus pensamentos anteriores. E está criando seu futuro pelos seus pensamentos de agora; se pensar nobremente, agirá nobremente no futuro. Se pensar de maneira vil nenhum ambiente o modificará. Portanto pensamentos e ações são interdependentes. Seja vigilante e permita que só pensamentos bons penetrem em seu campo mental.

Cada um tem uma concepção diferente de dever, valores, prazer e libertação que está sempre de acordo com suas próprias convicções. Você está em busca de seu próprio ideal.

Funciona de acordo com a sua própria crença e pensamentos antigos e intensificados. Cumpre e atinge a meta de seu próprio desejo. Não deixe que sua mente se torne cada vez mais densa permitindo que ela seja atraída por formas grosseiras. Siga o processo abstrato de alimentar pensamentos virtuosos.

Sua vida presente tem três aspectos — o físico, o mental e o espiritual. Você se acha tenazmente preso ao aspecto físico. Mantenha-se acima das sensações físicas e de outros apetites, alimentando pensamentos de que não é apenas corpo mas está residindo nesse templo corpóreo por pouco tempo. Coloque-se acima de excitações mentais. A ação subjetiva funciona no mundo do pensamento.

Envie para tudo o que foi criado um fluxo permanente de bom pensamento e de boa vontade. O motivo energético por trás de cada pensamento deve ser o de servir e o de amizade.

Você pode ser dotado de jeito para certas coisas, de esperteza e de capacidade de truques mas existe uma lei inabalável que refuta seus pensamentos de esperteza e seus talentos. Portanto não tente aparentar ser um sujeito semi-iluminado. Essa lei obriga todos a serem o que são na verdade. A voz dos pensamentos vem do caráter e não da língua. Não queira apresentar uma personalidade artificial. Seja genuíno e limpo em seus pensamentos.

O fluxo do pensamento corre em ambas as direções. Quando fluir para o bem levará à libertação e ao conhecimento. Mas se sua direção for para o vórtice da existência, descendo para o não discernimento, estará correndo ao encontro do mal. A faculdade de pensar atinge o máximo de luz quando age de acordo com regras éticas.

Você é o centro de vontade, de pensamento e de sentimento individuais. O encantamento do tempo e do espaço apresenta a seus olhos cenas belíssimas que desaparecem como ilusões óticas. Permitiu que ele o enganasse inúmeras vezes; é por isso que seu peito está entrecortado de suspiros e que sua capacidade de discernimento se secou no fogo do conhecimento. A meta espiritual está na sua frente. Dependerá de seus pensamentos o tempo que levará para chegar a ela.

Realize uma união com seus pensamentos elevados. Atingirá a meta pagando o preço de muitos fracassos. Torna-se um indivíduo que não procura satisfações nem glória pessoal. A morte não se aproximará facilmente de si se não usar o colar de pensamentos viciados sobre seu peito.

A felicidade que resulta do cultivo da mente sobrepuja até a prosperidade dos três mundos, a posse das mais lindas jóias ou o galgar altos postos.

Sua mente é onipotente. É capaz de realizar tudo. Aquilo que você imagina aparecerá no futuro. Todos os pensamentos intensos da mente se materializam e se concretizam.

Seu pensamento possui poder criativo. De dentro dele são engendrados objetos. Ele é o único criador. Nada será jamais criado ou recriado sem ser através da mente. O pensamento é a matéria da qual as coisas são feitas. Toda matéria não passa de concretização da consciência.

 Nenhum outro ser é responsável pelo que você adquire, pois tudo é conseqüência de seu pensamento. Tudo o que lhe acontece na vida está dentro de você mesmo. Ninguém mais pode lhe prestar favores a não ser que os mereça. O que obtém de outros é o resultado de seus próprios pensamentos e esforços. Não há nada no mundo que você não possa conseguir se seus pensamentos estiverem fluindo na direção certa. Não se deve tornar um pessimista nem um misantropo.

 O poder criativo é o privilégio de todas as mentes. Seus próprios esforços, guiados por suas aspirações são a trama e a textura de seu destino. Não deixe sua mente ficar ao léu alimentando pensamentos fracos. A mente superficial não consegue adquirir profundidade de percepção.

 Controle a mente que vagueia cultivando uma só corrente de pensamento. Tudo o que for pensado intensamente por você lhe será dado mais cedo ou mais tarde de acordo com o esforço que fez para adquiri-lo.

 A extenção do espaço assim como a duração do tempo estão relacionadas com seus pensamentos e emoções. Você sofre as experiências que se coadunam com sua maneira de pensar. Se imaginar um momento como um longo período, você o sentirá assim e vice-versa. O mesmo período de tempo pode parecer longuíssimo se estiver em dificuldades e curtíssimo se estiver feliz.

 O poder do pensamento é tal que uma coisa amarga pode parecer doce e vice-versa, através de pensamento intenso. Você pode transformar um veneno num néctar. Pense em Mira. Ela o conseguiu através de pensamentos intensos.

 Você está cercado por forças antagônicas. Mas se não pensar com antagonismo poderá facilmente transformar uma maldição numa bênção. Controlará assim todas as forças antagônicas. Esforce-se de verdade e controle a corrida mental indesejável.

 O mundo à sua volta é apenas o que você acredita que ele seja. Sua percepção está colorida pelos seus pensamentos. Sua mente percebe e continua a perceber as coisas na forma em que, com fé integral, imagina que são. Abra uma brecha na armadura dos pensamentos preconceituosos e tente ver a divindade em cada objeto.

É unicamente pelo pensamento que você se ilude, que passa pela experiência do nascimento e da morte, que fica preso ao mundo e se liberta dele.

Todos os seus estados de desespero, no céu e na terra, são efeitos de seus próprios pensamentos. Mais cedo ou mais tarde, nesta ou em outras vidas, todos os seus pensamentos se concretizarão. Portanto use de grande discernimento.

Sua situação presente foi projetada pelos seus pensamentos. Pode mudar a situação presente pelos seus próprios pensamentos. Se acreditar que está separado do Absoluto, estará de fato separado. Se pensar que é Brama, assim será. Você se limita com seus pensamentos.

Com cada pensamento divino a mente retira a casca do visível e do finito e penetra na eternidade, mas você é tão negligente em relação à sua fábrica mental!

3. O PODER DO PENSAMENTO E O IDEALISMO PRÁTICO III.

O seu destino é arquitetado pelos seus pensamentos. Você possui tanto poder quanto imagina possuir. O mundo à sua volta é o que você quis que fosse.

Você está vivendo num oceano infinito de poder e de alegria, mas retira dele apenas o que pensa, acredita e imagina. Devido a certas propensões você cultiva determinados pensamentos e permite que a mente os fomente. Mas, pelo discernimento, poderá facilmente abandonar a fantasia da mente.

O limite de seu pensamento será o limite de suas possibilidades. Suas circunstâncias e seus ambientes são a materialização de seus pensamentos. A experiência do mundo sobe ou desce de acordo com seus pensamentos. Qualquer que seja o pensamento que você alimente no mundo ele, finalmente, se concretizará.

No que quer que seja que uma mente pura acredite com firmeza, em breve, isto se realizará. O poder de seus pensamentos está em proporção a sua intensidade, profundidade e calor.

E eles se tornam intensos, profundos e calorosos quando constantemente alimentados. Pensar, desejar ou imaginar com constância a mesma idéia contribui muito para a sua materialização. Desenvolva uma mente pura e qualquer objeto ou mundo que desejar obter, obterá.

É verdade que cada pensamento produz um efeito correspondente no todo ou em uma parte da anatomia humana. O corpo físico pode se tornar sutil através de meditação constante sobre essa idéia. O corpo mental ou sutil pode se tornar físico quando repetidamente é assim imaginado. O segredo do sucesso é esforço constante e repetido.

Desenvolva uma determinação forte. Este é um fator importante que contribuirá para a materialização de seus pensamentos. Ninguém é capaz de resistir a uma mente cheia de determinação. Você poderá realizar qualquer coisa.

Seu corpo é seu pensamento materializado. Quando seus pensamentos mudam, seu corpo também muda. A mente cria o corpo com o material dos próprios pensamentos. O pensamento é uma força que pode mudar, transformar ou, pelo menos, modificar quase tudo no sistema anatômico humano.

A desordem e desarmonia no corpo físico é chamada de moléstia física e o conflito na mente de moléstia mental. Ambas têm suas raízes na ignorância e podem ser curadas unicamente pelo conhecimento da realidade. Quando você se preocupa com o que lhe está acontecendo no mundo, surge na mente um distúrbio de depressão mental. Por causa desse distúrbio mental o funcionamento regular e bom dos fluidos vitais perturba-se. Quando os fluidos vitais não funcionam direito os Nadis se desorganizam. Uns recebem mais energia vital e outros menos. E assim todo o sistema fica desordenado. Neste caso a desarmonia mental é a causa de moléstias físicas que só podem ser curadas pela remoção dessa causa.

Cada pensamento depressivo e perturbador que penetra em seu cérebro produz um efeito depressivo em todas as células de seu corpo e tende a provocar moléstias. Todos os pensamentos negativos são os precursores da moléstia e os mensageiros da morte.

Se quiser viver muito e ter uma vida boa e saudável, cultive bons pensamentos. As influências dos pensamentos na estruturação e reestruturação de seu corpo são sutis e poderosas. Seja vigilante.

Praticamente todas as moléstias e suas dores e sofrimentos têm sua origem em estados e condições mentais e emocionais pervertidos. É absolutamente indispensável que você restaure a harmonia mental. Purifique seus pensamentos realizando ações nobres e procurando a companhia de pessoas sábias. Quando os pensamentos se purificam os fluidos vitais funcionam direito e limpam todo o sistema.

Todo bom pensamento estimula o coração, melhora o sistema digestivo e auxilia o funcionamento normal de todas as glândulas.

Outro nome para a harmonia da mente é contentamento. Quando seus pensamentos não saltam de um objeto para outro e você se sente satisfeito, está num estado de alegria que é raro. Se estiver feliz interiormente tudo lhe parecerá bom e agradável.

Os pensamentos são a fonte principal da alegria. Purifique seus pensamentos: todos os problemas ficarão resolvidos.

Se você cultiva pensamentos pacíficos então o mundo todo parecerá arejado, mas se os pensamentos negativos espalharam seu império o mundo parecerá a você uma fornalha. Nenhuma circunstância o compele a alimentar maus pensamentos. Não se destrua imaginando para si uma sina. Esta, na realidade, não existe.

O pensamento é capaz de revelar a realidade. Impulsionado por pensamentos certos, o sábio consegue sair das situações mais perigosas. Toda a realidade está presente por toda parte em todo o seu potencial portanto, tudo o que for intensamente pensado em algum lugar, ali acontecerá.

Em essência, a natureza de todos os objetos é pensamento. A materialidade é uma idéia errada.

Assim como a neve derrete com o calor, também a mente se torna sutil com a prática de visão correta e de pensamentos positivos.

A verdadeira ação só é pensamento. É realmente mental e não física. A ação física não passa de uma expressão externa da ação verdadeira que é vibração da vontade na mente. Suas atividades físicas são apenas as várias facetas de suas atividades mentais.

Assim como a beleza de uma árvore aumenta enormemente na primavera, também a sua força, sua inteligência, seu brilho aumentarão em proporção aos seus pensamentos positivos. Os pensamentos dos sábios são totalmente diferentes dos de pessoas comuns. Você se libertará na proporção em que pensar com maior indiferença sobre o mundo.

Quando pensamentos de pureza emanarem à sua volta, a Lei Eterna começará a apoiá-lo. Você só sabe aquilo por que passou e sentiu durante a vida. Em cada um surge uma experiência do mundo diferente e separada. Sua mente é limitada e sujeita a vários tipos de modos e de circunstâncias.

4. ALGUMAS SEMENTES DE PENSAMENTO.

O verdadeiro conhecimento é consciência espiritual. É a percepção da nossa verdadeira natureza. O conhecimento significa real discernimento e avaliação correta, sabedoria e perfeita compreensão de si próprio e dos outros. O pensamento certo traz a ação certa e a vida certa.

A beleza é essencialmente espiritual. A verdadeira beleza reside em nosso coração; no nosso caráter. Ela está na pureza, brilha nas virtudes. O amor é um sentido refinado, inato, de união com toda a criação. O amor é a negação do "eu", o oposto do egoísmo.

O amor é a santidade do coração. O amor é boa vontade, misericórdia, compaixão e tolerância ilimitadas. O amor é ausência de sensualidade.

O corpo não é tudo. Existe algo de importância vital que reside no corpo. É o espírito do homem. Ainda que idêntico ao Espírito cósmico, está individualizado pelos Carmas de cada alma. O corpo acaba; o espírito vive. A individualidade do espírito existe enquanto o corpo perdura; depois deveria voltar e dissolver-se na sua fonte original, a não ser que seja puxado de volta pelos seus Carmas associados para um novo corpo para colher esses Carmas.

Tudo passa. Quando o corpo perece, nada acompanhará o homem a não ser os seus Carmas. Portanto, enquanto viver, deve fazê-lo amigavelmente, com amor e boa vontade para com todos, sem, de maneira alguma, ferir alguém, sem cobiçar riquezas, com muita bondade e caridade mental, com muito perdão e tolerância, desligado de objetos mundanos e desassociado do ego, tentando não adquirir novos Carmas enquanto resolve os antigos.

Com um pouco de contentamento, discernimento, devoção a Deus e aceitação de Sua Vontade, com um pouco de desapego e não esperando nada de ninguém, com uma atitude de devoção e de obediência às ordens da consciência, com fé inabalável nos princípios espirituais e num código de conduta própria e capacidade de avaliação, a vida se torna mais fácil, valiosa e feliz.

Se você tem problemas, procure, em primeiro lugar, a causa. O problema real está na ignorância da causa. Se a causa for sanada, as dificuldades diminuem ou serão apenas acidentais. O mundo é uma grande escola onde são dadas amplas oportunidades às pessoas para consertar seus erros e melhorarem como indivíduos. Ninguém nasce perfeito. Existem possibilidades para todos se aperfeiçoarem. Os problemas e as dificuldades deveriam nos tornar criaturas melhores e não criar complexos e restringir a mente e o coração. Refugie-se em pensamentos grandes e nobres e atinja a perfeição.

A dádiva do Guru está sempre à disposição do discípulo, sem reservas e incondicionalmente. Entretanto depende da autodisciplina, fé e pureza do discípulo ser esta dádiva usada ou não. O Guru reside no coração do discípulo. Alguns têm consciência disto, outros não. A presença viva do Guru no seu íntimo é o maior trunfo que o discípulo possui.

## Capítulo Décimo Primeiro

## O PODER DO PENSAMENTO E A REALIZAÇÃO EM DEUS

### 1. A VIDA — UMA ATUAÇÃO RECÍPROCA DE PENSAMENTOS.

O pensamento que você tem manifestar-se-á na sua vida. Se for corajoso, alegre, compassivo, tolerante e bondoso essas qualidades ficarão evidentes em sua vida física. A única impureza da mente é o pensamento vil e o desejo.

Tome conta de seus bons pensamentos como um vigia alerta guarda o Tesouro. Se não existir o pensamento do "eu", não existirá outro pensamento.

A vida é uma atuação recíproca de pensamentos. A dualidade cessa quando a mente pára de funcionar. O pensar está ligado ao fator tempo. É necessário parar de pensar. Só então atingirá o infinito. Fique quieto.

Deixe que todas as ondas de pensamento sumam. Nessa quietude, quando a mente se dissolve, brilha o Atma luminoso, a consciência pura. Vigie a mente. Vigie os pensamentos. Procure serenidade. Torne seu coração uma morada digna do Senhor.

### 2. RESULTADOS DO PENSAMENTO NA EXPERIÊNCIA ESPIRITUAL.

O ouro derretido despejado no molde de um cadinho tomará a forma desse cadinho. A mente também toma a forma do objeto que penetra.

A mente adota a forma de qualquer objeto sobre o qual pense intensamente. Se pensar numa laranja ficará com a forma de uma laranja.

Se pensar no Senhor Krishna tomará a forma do Senhor Krishna. Você precisa treinar a mente de maneira apropriada e lhe dar, para que assimile, alimento Sátvico certo. Tenha uma imagem mental ou pano de fundo do pensamento Sátvico. Os mesmos pensamentos que um homem alimentou durante o dia estarão ocupando sua mente durante o sonho. Se tiver pureza e concentração poderá fazer com que a mente adote o Bhava que quiser. Se pensar em misericórdia, todo o seu ser ficará saturado de misericórdia. Se pensar em paz, todo o ser ficará imerso em paz.

É a Bhava mental, ou atitude, que determina a natureza de um ato e produz seus frutos. Você poderá abraçar sua mãe, ou sua irmã ou sua mulher. O ato é o mesmo mas o Bhava mental é diferente.

Vigie sempre seu Bhavana, idéias e emoções. Seu Bhavana deve ser sempre Sátvico. Deverá cultivar Brama-Bhavana o tempo todo. Preste atenção no Bhavana durante a meditação. Não precisará vigiar a respiração.

Os pensamentos que cria em sua mente e as imagens que forma em sua vida cotidiana o ajudarão a fazer de você o que é ou o que deseja ser. Se pensar constantemente no Senhor Krishna, tornar-se-á idêntico ao Senhor. Residirá Nele para sempre.

3. PENSAMENTOS DE DEUS.

Sua mente precisa se limpar de todos os pensamentos mundanos. Tem que se encher de pensamentos de Deus e de nada mais.

Mantenha a mente repleta de pensamentos bons, divinos, sublimes e assim não sobrará lugar para maus pensamentos. Nunca diga uma palavra desnecessária. Nunca permita que um pensamento vaidoso ou desnecessário ocupe sua mente.

4. PENSAMENTOS DIVINOS PARA SE LIVRAR DAS MOLÉSTIAS.

O melhor remédio ou panacéia para todas as moléstias é o cultivo de pensamentos divinos. As ondas que se desprendem dos pensamentos divinos por Kirtan, Japa ou pela meditação diária eletrificarão, rejuvenescerão, vivificarão e darão energia às células, aos tecidos, aos nervos.

Outro remédio barato e eficaz é estar sempre contente e alegre. Estude diariamente, com atenção, um ou dois capítulos do Gita. Ocupe-se o tempo todo e isto será um meio de afastar pensamentos mundanos.

Encha a mente de Sattva e goze de muita saúde e paz. Procure a companhia de gente sábia, cultive a fé, a serenidade, a franqueza, a coragem, a misericórdia, a devoção, o amor, a alegria, a confiança, pensamentos e virtudes divinas.

Permita que a mente vá na direção espiritual em sulcos divinos: ela terá paz e produzirá vibrações harmoniosas. Você gozará de saúde mental e não sofrerá de nenhum mal físico.

5. O CULTIVO DO PENSAMENTO PELO CONHECIMENTO E PELA DEVOÇÃO.

Sente-se num lugar solitário e observe cuidadosamente seus pensamentos. Permita que o macaquinho da mente salte e pule durante um certo tempo. Depois de um dado período ele descerá. Ficará quieto. Seja um Sakshi ou observador do zoológico de vários pensamentos no eterno circo ou espetáculo. Torne-se um espectador do filme mental bioscópico.

Não se identifique com os pensamentos. Assuma uma atitude de indiferença. Todos os pensamentos, um por um, morrerão de inanição. Você matará os pensamentos, um a um, assim como um soldado mata o inimigo no campo de batalha.

Repita mentalmente "OM eu sou Sakshi. Quem sou eu? Sou o Atma sem pensamento. Nada tenho a ver com estas imagens mentais e pensamentos falsos. Que corram. Não me dizem respeito". Todos os pensamentos perecerão. A mente morrerá como a lamparina sem óleo.

Fixe sua mente na imagem do Senhor Hari ou do Senhor Siva, ou do Senhor Krishna, ou de seu Guru, ou de qualquer santo como o Senhor Buda ou o Senhor Jesus. Muitas e muitas vezes tente focalizar essa imagem mental. Todos os pensamentos morrerão. Este outro método é o método de Bhaktas.

6. OS PENSAMENTOS E A PRÁTICA DA IOGA DA QUIETUDE MENTAL.

Sente-se calmamente. Realize uma discriminação. Desassocie-se dos pensamentos e da mente que é o princípio pensante ou entidade.

Identifique-se com o seu Eu interior e fique como testemunha silenciosa ou Sakshi. Gradualmente todos os pensamentos morrerão. Você entrará em união total com o Eu supremo ou Parabrama.

Continue a prática da quietude mental. Aniquilar a mente, sem dúvida requer um esforço direto.

Primeiro precisa eliminar os Vasanas. Só então será capaz de realizar o Sadhana de firme quietude mental. Sem produzir Vasana-Kashaya a quietude mental ou aniquilação da mente não é possível.

7. COMO FAZER AMIGOS PELA PRÁTICA DA IOGA.

"Como fazer amigos e influenciar as pessoas": este princípio de Dale Carnagie não passa de uma folha do antigo livro hindu sobre ciência psico-espiritual. Pratique a Ioga e o mundo todo vai adorá-lo. Inconscientemente atrairá para si todos os seres vivos; até os deuses ficarão a sua disposição. Fará amigos mesmo entre as feras e os indivíduos brutais. Sirva a todos; ame a todos. Desenvolva seus poderes interiores pela prática da Raja Ioga, pelo controle e domínio do poder do pensamento.

Pela prática da Ioga você pode fazer de toda a humanidade e de todos os seres vivos membros de sua própria família. Pela prática da Ioga poderá superar todas as dificuldades e eliminar todas as fraquezas.

Pela prática da Ioga a dor pode ser transformada em prazer, a morte em imortalidade, o sofrimento em alegria, o fracasso em sucesso e a doença em saúde perfeita. Por isso aplique-se na prática da Ioga.

8. O ESTADO IÓGUICO DE NÃO-PENSAMENTO.

Geralmente, nos estudantes, não existe verdadeiro despertar espiritual. Existe mera curiosidade para conseguir poderes psíquicos ou ióguicos. Enquanto alimentar algum desejo secreto por Siddhis, esse estudante estará longe de Deus. Cumpra rigorosamente os regulamentos éticos.

Primeiro modifique a natureza mundana. Se você abandonar completamente os desejos, os pensamentos, os Vrittis, se estes foram destruídos *in toto,* Kundalini subirá por si mesmo, sem esforço, levado pela força da pureza. Remova o entulho da mente. Conseguirá auxílio e respostas de dentro de você mesmo.

9. O PODER DO IOGUE DE PENSAMENTO DESENVOLVIDO.

O Iogue que desenvolveu seus poderes de pensamento possui uma personalidade magnética e atraente. Os que entram em contato com ele são enormemente influenciados pela sua voz suave, sua fala vigorosa, seus olhos luminosos, sua tez brilhante, seu corpo sadio e forte, seu comportamento, suas virtudes e Natureza Divina.

Dele as pessoas recebem alegria, paz e força. Ficam inspiradas pelo que ele diz e sentem suas mentes se elevarem ao seu simples contato.

O pensamento se move. O pensamento é uma força enorme. Um Iogue ou sábio pode purificar o mundo todo com seus poderosos pensamentos ainda que não saia de uma gruta solitária no Himalaia.

Para ajudar as pessoas não é necessário que ele apareça em público e faça conferências e discursos. Sattva é atividade intensa. A roda que gira muito rapidamente parece estar parada. É o que se dá com Sattva e com o homem sátvico.

10. BARCOS-PENSAMENTO PARA IR À FORÇA INFINITA.

A vida é uma viagem da impureza para a pureza, do ódio para o amor cósmico, da morte para a imortalidade, da imperfeição para a perfeição, da escravidão para a liberdade, da diversificação para a união, da dor para a beatitude eterna, da fraqueza para a força infinita.

Deixe que cada pensamento o aproxime mais do Senhor, que cada pensamento o ajude em sua evolução.

## Capítulo Décimo Segundo

## O PODER DO PENSAMENTO PARA UMA NOVA CIVILIZAÇÃO

1. PENSAMENTOS PUROS — SEU IMPACTO NO MUNDO.

Os psicólogos e ocultistas ocidentais dão grande importância e valor aos pensamentos puros. O cultivo do pensamento é uma ciência exata. Deve-se cultivar a maneira certa de pensar e expulsar toda espécie de pensamentos vaidosos e sem valor.

Quem alimenta pensamentos maus causa enorme prejuízo a si próprio e ao mundo em geral. Polui o mundo do pensamento. Seus maus pensamentos penetram nas mentes de pessoas distantes porque o pensamento se move com velocidade fulminante.

Os maus pensamentos são a causa direta das mais variadas moléstias. Todas as moléstias têm sua origem num pensamento impuro. Quem cultiva pensamentos bons, sublimes e divinos faz a si mesmo e também ao mundo, enorme bem. Pode transmitir, aos amigos que vivem longe, alegria, esperança, conforto e paz.

2. O PODER DO PENSAMENTO E O BEM-ESTAR DO MUNDO.

Carma é a atuação e também a lei da causa e efeito. Todos os reinos abaixo do humano não possuem 'mente'. Portanto não podem gerar pensamentos. Além disso não têm a mínima idéia do bem e do mal, do que deve ou não deve ser feito e conseqüentemente não podem criar Karmas.

Os pensamentos são coisas sólidas, mais sólidas do que um pedaço de açúcar-cande. Possuem imensa força e poder. Use com cuidado a força do pensamento. Pode lhe ser útil de muitas maneiras. Mas não abuse ao acaso, desse poder. Se fizé-lo, sofrerá queda rápida ou uma reação terrível. Use esse poder para auxiliar outros.

3. O PODER DO PENSAMENTO PARA O DESENVOLVIMENTO DA CORAGEM E DO AMOR.

Destrua sem piedade os pensamentos de medo, de ódio, egoístas, sensuais e qualquer outro que seja mórbido ou negativo. Estes maus pensamentos produzem fraquezas, moléstias, desarmonia, depressão e desespero.

Cultive pensamentos positivos como os de misericórdia, de coragem, de amor e de pureza. E os pensamentos negativos morrerão de inanição. Tente isto e sinta sua força. Os pensamentos puros infundirão em você uma nova e nobre vida.

Pensamentos sublimes e divinos produzem uma tremenda influência na mente, expulsam os maus pensamentos e mudam a substância mental. A mente se transformará totalmente em luz pelo cultivo de pensamentos divinos.

4. O PODER DO PENSAMENTO PARA UMA VIDA IDEAL.

Alimente os pensamentos mais elevados. Seu caráter se enobrecerá. Sua vida se tornará digna e ideal.

Mas, cada pessoa tem um pano de fundo mental diferente. Os indivíduos variam em sua capacidade mental e intelectual e na força física e mental para realizar coisas. Portanto cada um precisa ter um ideal que se adapte ao seu próprio temperamento e capacidade e deve ir em busca dele com grande entusiasmo e atuação dinâmica.

O ideal de uma pessoa não convirá a outra. Se alguém corre atrás de um ideal que não pode atingir, pois este está além de seu alcance e capacidade, ficará decepcionado. Deixará de se esforçar e tornar-se-á Tamásico.

Você deve procurar o seu próprio ideal. Poderá realizá-lo imediatamente ou depois de dez anos de passos vacilantes. Não importa. Cada um ou uma deve tentar o máximo, dentro de suas limitações, para atingir esse ideal. Precisa usar toda a sua energia, força de nervos e de vontade para realizar esse ideal.

Você mesmo poderá determinar um ideal que esteja de acordo com o seu nível. Se não conseguir fazê-lo, peça a seu guia e este escolherá para você o ideal mais conveniente à sua capacidade e nível.

Não se deve tratar com desprezo um homem cujo ideal é pequeno. Ele pode ser uma alma infante que está começando a engatinhar no caminho moral e espiritual. Seu dever é de ajudá-lo, de todas as maneiras possíveis, na realização desse ideal. Precisa sempre encorajá-lo nesse esforço sincero que está fazendo para atingir o que ele considera ser o mais alto ideal.

É deplorável notar que a maioria das pessoas não possui ideal algum. Até mesmo as pessoas cultas. Levam uma vida sem meta e por isso são atiradas de cá para lá como um pedaço de palha.

Não progridem na vida. Situação esta que só podemos chamar de verdadeiramente lamentável. É muito difícil conseguir uma encarnação humana; entretanto as pessoas não compreendem a importância de manter um ideal e de tentar atingi-lo.

Os epicuristas, os glutões e os ricos têm por lema "Coma, beba e divirta-se". São incontáveis os seguidores deste modo de pensar e diariamente seu número aumenta de forma assustadora.

Este é o ideal de Virochana. O ideal de Asuras e de Rakshasas. Ele levará o homem às regiões sombrias da miséria e do sofrimento.

Abençoado seja aquele que eleva seus pensamentos, mantém um ideal e se esforça realmente por atingi-lo porque logo chegará à consciência de Deus.

5. ENERGIA DO PENSAMENTO PARA SERVIR E PARA O PROGRESSO ESPIRITUAL.

Assim como a energia é desperdiçada em conversa fiada e mexericos, ela se perde no cultivo de pensamentos inúteis.

Você, portanto, não deve desperdiçar um único pensamento e nem mesmo uma fração de energia com pensamentos inúteis. Conserve toda a energia mental. Utilize-a para fins espirituais, na contemplação divina, Brama-Chintana e Brama-Vichara. Conserve toda a energia do pensamento para a meditação e para prestar serviços à humanidade.

Afaste da mente todos os pensamentos desnecessários, inúteis e irritantes. Os pensamentos inúteis impedem seu crescimento espiritual; pensamentos irritantes são obstáculos no desenvolvimento espiritual.

Você se distancia de Deus quando alimenta pensamentos inúteis. Substitua-os por pensamentos de Deus. Tenha só pensamentos bons e úteis.

Pensamentos úteis são os degraus no crescimento e progresso espirituais. Não permita que a mente corra para os velhos sulcos e conserve seus velhos hábitos. Vigie-a cuidadosamente.

6. AJUDE O MUNDO COM BONS PENSAMENTOS.

Os semelhantes atraem-se mutuamente. Se você tiver um mau pensamento ele atrairá todo tipo de maus pensamentos de outros. E você os passará todos a mais outros.

O pensamento se move. Ele é uma força dinâmica viva. É uma coisa. Se permitir que sua mente paire num pensamento sublime este atrairá bons pensamentos de outros.

Estes, você passará a outras pessoas. Com maus pensamentos você polui o mundo.

7. O PODER DO PENSAMENTO E AS CONDIÇÕES PARA UMA NOVA CIVILIZAÇÃO.

O pensamento faz o homem; o homem, a civilização. Existe uma poderosa força de pensamento por trás de cada acontecimento na vida e na história do mundo.

Por trás de todas as descobertas e invenções, de todas as religiões e filosofias, de todo projeto para salvar ou destruir vidas, está o pensamento.

O pensamento é expresso em palavras e executado em ações. A palavra é a serva do pensamento e a ação o resultado final. Daí o dito "Você se torna o que pensa".

Como construir uma Nova Civilização?

Gerando uma nova força de pensamento.

Como construir uma civilização que assegurará a paz para a humanidade, a prosperidade para a sociedade e a salvação para o indivíduo?

Procriando uma força de pensamento que invariavelmente fará o homem gozar de paz mental, que inculcará em seu coração as virtudes divinas da compaixão, do servir a humanidade, do amor a Deus, e de um desejo intenso de chegar a Ele.

Se apenas uma fração da riqueza e do tempo gasto em procuras inúteis e atividades destrutivas fosse dedicada à criação de um Bom PENSAMENTO, uma nova civilização existiria de imediato.

Bombas atômicas e de hidrogênio, I.C.B.M. e outras muitas invenções estão, inevitavelmente, levando a humanidade à destruição.

Gastam sua riqueza; destroem seus vizinhos; poluem a atmosfera do mundo inteiro, criam, em seu coração, o medo, o ódio, a desconfiança; a mente se desequilibra e o corpo fica sujeito a moléstias. Vamos pôr um término a este rumo.

Promova a pesquisa da espiritualidade, da religião e de todas as coisas boas da vida. Apóie os filósofos e os santos — os verdadeiros benfeitores da humanidade. Ajude-os no estudo da religião, nas pesquisas da antiga literatura espiritual e na transmissão de uma grande força de pensamento dirigido a Deus.

Proíba toda literatura que polui os pensamentos dos jovens. Irrigue as jovens mentes com pensamentos, idéias e ideais saudáveis.

O homem que assassina, o que rouba sua carteira, o que o lesa, recebem a punição da lei. Mas estes crimes são insignificantes comparados ao que cometem os perniciosos intelectuais que instilam idéias daninhas na mente da juventude.

São eles os autores de muitos assassínios perpetrados pelo mundo afora; roubem sua maior riqueza, isto é, a sabedoria; enganam-no oferecendo-lhe veneno sob o rótulo de doce elixir. As leis de uma nova civilização serão muito severas com estes seres Asúricos.

A Nova Civilização dará todo o apoio aos que quiserem estudar filosofia, religião e pensamento espiritual. Tornará compulsório este estudo nas escolas e colégios. Dará prêmios e títulos aos que fizerem pesquisas em religião e filosofia. O anseio mais profundo do homem — o anseio espiritual — terá todas as facilidades para atingir sua meta.

Impresso por :

gráfica e editora
Tel.:11 2769-9056

Os frutos da Nova Civilização merecem todos os esforços que cada um possa fazer para criá-la. Na Nova Civilização o homem vai querer levar uma vida honesta, desejará servir seus semelhantes e dividir com eles o que possui; amará a todos, compreendendo que o seu próprio Eu reside em todos; dedicar-se-á ao bem-estar de todos os seres.

Não seria esta uma sociedade ideal, na qual as pessoas dividem com outras tudo o que possuem e estão dispostas a servir todo o mundo? Numa sociedade em que cada um quisesse trabalhar por todos não haveria mais necessidade de impostos e tarifas! E nem mais necessidade de polícia e de exército quando todos se dedicam à virtude!

Este pois, é o ideal. Que cada um se esforce por gerar uma força de Pensamento que nos leve a esta meta.

Que Deus os abençoe!